CW00552103

Ferdinand von Schirach

NACHMITTAGE

Ferdinand von Schirach

NACHMITTAGE

Luchterhand

Der Mensch soll um der Güte und Liebe willen
dem Tode keine Herrschaft einräumen über
seine Gedanken.

Thomas Mann, *Der Zauberberg*

Eins

Es ist der letzte Tag in Taipeh. Ich gehe die Treppen hoch in das Café im ersten Stock des ASW Tea House, ein heller Raum mit großen Fenstern, in den Regalen Bücher und Teedosen. Ich sehe die Journalistin nicht gleich, sie winkt mir zu. Sie hat Tee und Sandwiches bestellt.

Die Journalistin sagt, sie habe drei Jahre in Heidelberg studiert, es sei eine schöne Zeit gewesen, dort habe sie ihren Mann kennengelernt. Sie stellt kluge Fragen, aber ich bin unkonzentriert, es waren zu viele Lesungen, zu viele Vorträge, Empfänge und Interviews in den letzten Tagen. Die Luft ist feucht, und die Kleidung klebt am Körper. Ich entschuldige mich, ich sei einfach nur schrecklich müde. Die Journalistin sieht mich an, dann steckt sie ihren Block in die Handtasche und schaltet das Handy aus, mit dem sie das Interview aufgenommen hat. Sie legt ihre Hand auf meinen Unterarm und lächelt.

»Ich werde Ihnen etwas zeigen, wenn Sie möchten«, sagt sie und steht auf. Ich will bezahlen, aber sie lässt es nicht zu.

Auf der Straße geht sie voraus, ich habe Mühe, ihr zwischen den vielen Menschen zu folgen. Unter den Kolonnaden werden getrocknete Früchte, Blüten, Gewürze, Fleisch und Fisch verkauft. Es ist laut und eng und riecht nach gebratenen Garnelen und Tofusuppe. Wir gehen an winzigen Straßencafés vorbei, an Haushaltsgeschäften, an Apotheken mit Kräutern und Wurzeln. Dann bleibt sie stehen. »Das ist der Xiahai-Tempel«, sagt sie, »dieser Gott beschützt unsere Stadt.« Es ist ein schmales Haus, eingeklemmt zwischen zwei Wohnblöcken.

Drinnen ist es noch stickiger und noch heißer, die engen Räume sind voller Menschen, es gibt unzählige Götterstatuen in Seidenkleidern, grimmige Fabelwesen und ein Pferd aus Bronze.

Die Journalistin reicht mir drei Räucherstäbchen, die ich an einer Kerze anzünden soll. Sie verbeugt sich vor dem »Kaiser des Himmels«, danach zeigt sie mir eine kleine Statue. Das hier sei kein Gott, sondern ein Mensch, sagt sie. Er habe unter der japanischen Besatzung die Reichen bestohlen und das Geld den Armen gegeben, ein taiwanesischer Robin Hood. Dann geht sie zu der Statue eines schwarzen kahlköpfigen Mannes mit langem Bart und goldenem Umhang. »Das ist Yue Lao, der Gott der Liebe. Wegen ihm sind alle hier.« Der Gott sieht freundlich aus. Wir verbeugen uns vor ihm. Ich bekomme ein kleines Stück Kuchen und einen Schluck heiligen Tee, und anschließend gibt sie mir einen dünnen roten Faden.

Wir gehen zurück auf die Straße. Ich sage, dass ich nichts verstanden hätte. Sie lacht und erzählt mir die Geschichte von einem jungen Mann vor tausend Jahren, der eine Frau suchte und keine fand. Eines Nachts, als er nicht schlafen konnte und spazieren ging, sah er einen alten Mann, der im Mondlicht in einem Buch las. Neugierig blickte der junge Mann dem Alten über die Schulter, aber er konnte kein einziges Schriftzeichen entziffern. Der Alte sagte, es sei ein Zauberbuch, alle Ehen der Welt seien darin verzeichnet. Der junge Mann glaubte das nicht, aber der Alte zog aus seiner Tasche einen roten Faden. Jeder Mensch, sagte der Alte, sei von seiner Geburt an durch einen solchen Faden mit einem anderen Menschen verbunden, ganz gleich, wie weit die beiden voneinander entfernt lebten. Ihr Schicksal stünde von Anfang an fest. Und alle diese Fäden seien in seinem Buch verzeichnet. Der junge Mann wollte natürlich sofort wissen, wen er heiraten würde. Der Alte lachte und sagte, er würde ihm seine Frau zeigen, wenn er das unbedingt wolle, aber es würde ihm nichts nützen.

Am nächsten Tag gingen die beiden zum Marktplatz der Stadt. »Dort«, sagte der Alte und zeigte auf eine blinde, hässliche und ärmliche Frau, die Gemüse an einem Stand verkaufte. Neben ihr spielte ein zweijähriges Kind im Dreck. »Dieses

Kind wird in vierzehn Jahren Deine Frau werden«, sagte der Alte. Der junge Mann war entsetzt. Er war wohlhabend und gebildet, er wollte nicht in ein Armenhaus einheiraten, sondern eine schöne Frau von seinem Stand. Er befahl seinem Diener, das Kind zu töten. Auch vor tausend Jahren war das ein grausamer Befehl. Der Diener zögerte, verletzte das Kind nur an der Stirn, dann ließ er das Messer fallen und rannte weg.

Vierzehn Jahre später gab der Gouverneur der Provinz seine Tochter dem Mann zur Frau. Es wurde eine glückliche Ehe. Die Frau trug immer eine Blume auf der Stirn.

»Sie ahnen es«, sagt die Journalistin, »es war das Kind, das der Diener des Mannes verletzt hatte. Tatsächlich war das Mädchen nicht die Tochter der Gemüseverkäuferin, sondern sie stammte aus einem reichen Haus, ihre Eltern waren gestorben, und die alte Frau war nur ihre Aufpasserin. Der Gouverneur hatte das Mädchen als seine Tochter adoptiert. Der alte Mann unter dem Mond wurde als Gott der Liebe berühmt, und heute bittet jeder Taiwanese ihn um einen Partner.« Sie lacht wieder. »Schreiben Sie darüber«, sagt sie.

Ich bedanke mich für den Nachmittag und für die Geschichte und entschuldige mich noch einmal für meine Müdigkeit. Die Journalistin sagt, es sei nicht schlimm, sie habe genug für einen guten Artikel. Ich solle den roten Faden in meiner Brieftasche verwahren und auf ihn aufpassen, und irgendwann könne ich hierher zurückkehren und dem Liebesgott Yue Lao etwas mitbringen.

Auf dem Weg zum Hotel beginnt es zu regnen, die Straße dampft, der Himmel ist jetzt grün und gelb. Im Hotel packe ich den Koffer, dann gehe ich hinunter und setze mich in die Lobby, um auf den Fahrer zum Flughafen zu warten. Ein amerikanisches Ehepaar streitet am Nachbartisch. Er schreit sie an, dass sie immer alles vergesse und verliere, jetzt habe sie sogar seine Aktentasche im Taxi liegen lassen, aber er sei nicht zum Spaß hier, sondern müsse arbeiten, er könne ihre Dummheit einfach nicht mehr ertragen. Sein Gesicht ist rot, während er schreit, und sie sieht zu Boden und antwortet nicht. Er wird immer wütender und lauter. Ich gehe zu ihnen und frage, wo der Taipeh 101 sei, der berühmte Wolkenkratzer, das Wahrzeichen der Stadt. Der Mann verstummt, er sieht mich verwundert an, dann erklärt er mir den Weg. Ich bestelle Kaffee und Wasser für das Paar und für mich und stelle dem Mann viele Fragen, wie Touristen das tun, bis mein Fahrer kommt.

Im Flugzeug denke ich an die Journalistin und an den wütenden Mann und an das Buch des Liebesgottes, in dem alle roten Fäden verzeichnet sind. Goethe berichtet in den *Wahlverwandtschaften*, in England sei in sämtliche Tauwerke der königlichen

Flotte ein roter Faden eingesponnen, der »durch das Ganze durchgeht, den man nicht herauswinden kann, ohne alles aufzulösen«. Und plötzlich ist alles wieder da, New York ist da, der warme Saal, sie ist da. Es war ein langweiliger Empfang damals gewesen, der Ausklang einer Konferenz für internationales Recht im Plaza am südlichen Central Park. Ich war eingeladen worden, um über Literatur und Recht zu sprechen. Die Veranstalter nennen so etwas »Kulturprogramm«, und natürlich interessiert sich niemand dafür.

Das alte Plaza-Hotel hatte längst seinen Glanz verloren, Donald Trump hatte es einmal gekauft und hier geheiratet, es hatte Indern, Arabern und Chinesen gehört, und alle guten Zimmer mit Blick zum Central Park waren jetzt Eigentumswohnungen. Touristen kamen von der Straße kurz herein, um die Kronleuchter und die Glaskuppel zu fotografieren, und nichts erinnerte mehr daran, dass Alfred Hitchcock in der Bar mit Cary Grant gedreht hatte, dass Truman Capote und Gore Vidal sich hier zum Mittagessen getroffen hatten und dass Scott Fitzgeralds *Gatsby* in einer der Suiten spielte: »Der Raum war groß und stickig, und obwohl es schon vier Uhr nachmittags war, brachte auch das Öffnen der Fenster nur den heißen Dunst der Sträucher vom Park zu uns herein.« Und weil es zu heiß und zu viel war, stritten sie sich, bis Jay Gatsby zu Tom Buchanan ruhig sagt: »Ihre Frau liebt Sie nicht.

Und sie hat Sie auch nie geliebt. Sie liebt mich.« Das stimmte und stimmte auch wieder nicht, die Geliebte ist zu schwach, ihr Mann kann die Zeit nicht anhalten und Gatsby sie nicht zurückdrehen. Das Leben war am Ende nur ein Schwindel, Gatsbys Träume waren untergegangen, »irgendwo in jener unermesslichen Finsternis jenseits der Stadt, wo die dunklen Felder des Landes unter dem Nachthimmel wogten«.

Hier, in diesem Hotel im New York der 20er Jahre, war Scott Fitzgeralds beste Zeit. Später verlor er alles, seine Frau musste in Nervenkliniken, er trank zu viel, wurde depressiv, seine Ehe zerbrach. Elf Jahre vor seinem Tod brachten ihm alle seine Bücher nur noch eine Jahreseinnahme von 31,77 Dollar ein, davon 5,10 Dollar für *Der große Gatsby*. Fitzgerald starb mit 44 Jahren, erschöpft und gescheitert, seine Frau verbrannte acht Jahre später in einer psychiatrischen Anstalt. Aber damals, als er in New York 23 Jahre alt war und ein strahlendes Genie, hatten seine Geschichten Titel wie: *Ein Diamant so groß wie das Ritz*. In einem Brief an Fitzgerald schrieb Hemingway einmal, dass man nach Scotts Tod dessen Leber nach Princeton, aber sein Herz hier ins Plaza bringen solle.

Auf dem Empfang in diesem Hotel trug sie ein enges Kleid aus Rohseide, Ocker im sanften Licht des Nachmittags. Sie lachte hell zwischen den

Männern, die sie umringten. Noch heute erinnere ich mich an jedes Bild, an ihren Hals mit der dünnen blauen Ader unter der hellen Haut, an den Schimmer ihrer Perlenkette. Sie war Seniorpartnerin in der Kanzlei, die diese Veranstaltung ausgerichtet hatte, und sie hatte mich eingeladen, weil sie meine Bücher mochte. Sie kam an meinen Tisch, und dann sprachen wir den ganzen Nachmittag, als wären wir alleine. Als sie gehen wollte, brachte ich sie zum Ausgang und legte mein Jackett über ihre Schultern, weil sie fror. Draußen war es bereits dunkel geworden, die Lichter der Schaufenster, der Restaurants, der Autos und Straßenlampen. Sie drehte sich um. »Sie machen alles richtig, glaube ich«, sagte sie. Das ist der einzige Satz, an den ich mich noch erinnere.

Viel später, immer wenn wir zusammen geflogen sind, hielt sie meine Hand beim Start und der Landung. Sie sagte nichts dazu, sie legte nur ihre Hand in meine Hand und schloss die Augen. Daran denke ich jetzt auf dem Flug zurück nach Europa.

»*Der Mensch soll um der Güte und Liebe willen dem Tode keine Herrschaft einräumen über seine Gedanken.*« Das ist der einzige Satz in Thomas Manns *Zauberberg,* der kursiv gedruckt ist. Der Satz wird nicht begründet, weil es für ihn keine Begründung gibt, so wie es für das Leben und das Weiterleben keine Begründung gibt. Ich sagte mir diesen Satz so viele Jahre vor, bis er nur noch ein Rhythmus war, ein Klang und ein Glaubenssatz. Und jetzt, nach sehr langer Zeit, gibt es manchmal Nachmittage, an denen ich nicht mehr in eine andere Richtung sehe, wenn ich an einem Café vorbeikomme, in dem wir zusammen waren.

Zwei

Isadora Duncan, genannt »Die Duncan«, war eine berühmte Tänzerin. Ihre Kinder und das Kindermädchen ertranken in der Seine in Paris, weil der Chauffeur vergessen hatte, die Handbremse des Wagens anzuziehen.

Später heiratete die Duncan den siebzehn Jahre jüngeren russischen Dichter Sergej Jessenin. Drei Jahre nach der Hochzeit schnitt er sich, inzwischen mit Sofia Tolstaja, der Enkelin Leo Tolstois, verheiratet, im Leningrader Hotel Angleterre mit einer Rasierklinge den Unterarm auf, tunkte die Feder ins Blut, schrieb ein letztes Gedicht und erhängte sich an den Heizungsrohren, die an der Zimmerdecke verliefen.

Zwei Jahre später verfing sich der lange rote Seidenschal der Duncan beim Anfahren in der rechten Hinterfelge des Bugatti, in dem sie saß. Ihr Körper schlug gegen das Wageninnere, Nase, Wirbelsäule und Kehlkopf brachen, die Halsschlagadern zerbarsten, sie starb im Krankenhaus.

Als Gertrude Stein vom Tod der Duncan erfuhr, sagte sie: »Affektiertheit kann gefährlich sein.«

Drei

»Je mehr man über sich selbst und über das, was man will, weiß, desto weniger lässt man an sich ran«, sagt Bill Murray in dem Film *Lost in Translation*. Es war Sofia Coppolas zweiter Film, Scarlett Johansson war erst siebzehn Jahre alt, und lange war unklar, ob Bill Murray überhaupt am Drehort erscheinen würde. Mit einem brillanten Drehbuch und sehr wenig Geld entstand einer der wunderbarsten Filme, die ich kenne. Murray und Johansson, ein alter Mann und eine junge Frau, sind fremd in Tokio, sie sind einsam und verloren in einer unverständlichen Welt. Alles, was sie tun, kommt ihnen flüchtig, albern und belanglos vor. Jeder andere Regisseur hätte mit den beiden eine Lolita-Story gedreht oder, schlimmer noch, eine bedeutungsschwangere Geschichte über tiefe Innerlichkeit. Aber Sofia Coppolas Film ist das Gegenteil: Die Traurigkeit verschwindet auch in ihm nie ganz, so wie sie im Leben nie ganz verschwindet. Aber hier ist sie leicht und warm, und vor allem ist sie oft unglaublich komisch.

Nach fast zwölf Stunden Flug landete ich abends in Tokio und fuhr mit dem Taxi direkt zum Park Hyatt, dem Hotel, in dem *Lost in Translation* spielte. Ich hatte das Zimmer gebucht, in dem Bill Murray im Film gewohnt hatte. Wie immer nach einem Flug gegen die Zeit konnte ich nicht schlafen. Ich stellte den Laptop auf das Fensterbrett, schob den Sessel dorthin und sah mir den Film wieder an. Vor dem Fenster blinkten die roten Positionslampen auf den Hochhäusern, und auf dem Computerbildschirm blinkten die gleichen roten Positionslampen. Ich dachte an die Gedichte von Bashô und die Romane von Mishima und an meine früheren Reisen in dieses Land, an das Torii-Tor über dem Meer, an die Burg Ōsaka während der Kirschblüte, an die Gärten von Hiraizumi und das Badehaus des Kaisers – ich hatte das alles gesehen, aber das Land war mir fremd geblieben. Die Schönheit dort ist unmittelbar wie Musik, sie braucht keine Übersetzung. Aber das andere, das Laute, das Moderne und Hektische, hatte ich nie verstanden. Jetzt sah ich Coppolas Film, Johansson liegt in ihrem grauen Pullover auf dem Bett, Murray wird in einer Spielshow von einem Moderator angeschrien, und alles schien mir plötzlich etwas weniger verloren und etwas weniger einsam.

Am nächsten Abend kam ich nach der Theaterpremiere todmüde und gleichzeitig überwach ins

Hotel zurück. Ich hatte den ganzen Tag über so viele Interviews gegeben, dass ich am Ende nicht mehr wusste, was ich gesagt hatte, und selbst das war mir gleichgültig. Inzwischen war ich seit 24 Stunden fast durchgehend wach. Ich ging nicht in mein Zimmer, sondern in die Bar des Hotels. Sie liegt im obersten Stockwerk des Hauses, hier kann man ausgezeichnet essen, auch wenn es oft etwas zu laut und zu voll ist. Ich wurde zu einem Tisch vor den riesigen Fenstern gebracht und stapelte die drei Papiertüten mit Stofftieren, die ich dabei hatte, neben mir auf dem Boden. Aus meiner Aktentasche nahm ich die unendlichen Terminpläne, die mein japanischer Verlag mir gegeben hatte, und versuchte das Programm zu verstehen, das ich morgen zu erledigen hatte. Interviews seien für die Literatur hier entscheidend, hatten meine Lektorin und mein Übersetzer gesagt, allein Yomiuri Shimbun habe eine Auflage von fast zehn Millionen Exemplaren täglich, und es sei wichtig, dass dort über meine Bücher berichtet würde.

Eine Kellnerin brachte die Karte, ich bestellte Eiswasser und Kaffee, schloss kurz die Augen und nickte ein.

Ich wachte auf, als der Restaurantleiter vor meinem Tisch stand und leise redete. Er entschuldigte sich immer wieder, niemand wisse, wie dieser Fehler im Buchungssystem geschehen konnte, die ganze Sache sei ihm und dem Hotel und allen Angestellten furchtbar peinlich, er würde mich gerne einladen, er wisse gar nicht, wie er sich sonst entschuldigen könne. Er war zu höflich und zu umständlich, und ich war zu müde, sodass es ziemlich lange dauerte, bis ich begriff, dass mein Tisch zweimal vergeben worden war, dass also noch jemand heute Abend hier sitzen würde. Ich sagte, das wäre nicht schlimm, und tatsächlich war es mir auch gleichgültig. Der Restaurantleiter verbeugte sich, verschwand und kam mit dem angekündigten Gast wieder. Sie war eine elegante Frau, etwa 40 Jahre alt, sie trug ein schlichtes dunkles Kostüm und eine weiße Bluse. Ich stand auf und stellte mich vor. Sie war Amerikanerin, offenbar eine Geschäftsfrau. Wir setzten uns wieder, der Restaurantleiter entschuldigte und verbeugte sich noch ein paar Mal und zog sich dann zurück.

Sie zeigte auf meine offenen Tüten, aus denen die Stofftiere herausquollen.

»Interviews?«, fragte sie.

»Woher wissen Sie das?«, sagte ich.

Tatsächlich hatte ich von jeder Zeitung, jeder Zeitschrift, jedem Radio- und jedem TV-Sender ein Stofftier überreicht bekommen. Es waren seltsame Phantasiewesen, Mischungen aus zwei, drei oder vier Tieren, also Hund und Katze oder Katze, Hamster, Maus und Hund. Es schien den Herstellern darum zu gehen, dass die Tiere möglichst weich aussahen und möglichst große Augen hatten.

Ich bekam sie vor den Interviews überreicht, ein Foto oder ein Video wurde mit dem Geschenk in meinen Händen gemacht, und erst dann begannen die Gespräche. Ich hatte das Ganze bis zum Schluss nicht verstanden, mich aber auch nicht getraut, die Maskottchen irgendwo stehen zu lassen.

Allison, so hieß die Amerikanerin, erklärte es mir. In Tokio, sagte sie, sei das Leben enorm anstrengend. Viele Menschen würden jahrelang fünfzehn oder sechzehn Stunden am Tag arbeiten – und zwar die ganze Woche hindurch, außer vielleicht an Sonntagen. Nach einigen Jahren bekämen sie von der Dauerüberlastung Depressionen, oder sie würden – oft in den Büros und Fabriken – an Gehirnblutungen, Schlaganfällen oder Herzinfarkten sterben. Es sei so schlimm, dass es im Japanischen sogar ein eigenes Wort für diesen »Tod durch Arbeit« gebe: »Karōshi«. Die Behörden würden jedes Jahr etwa 150 solcher Fälle anerkennen. Die Versicherer dagegen würden versuchen, das zu unterlaufen: Sobald nämlich auf »Karōshi« erkannt würde, müsse die Versicherung den Nachkommen des Toten eine Rente bezahlen. Ob auch Suizide infolge von Überarbeitung solche Fälle von »Karōshi« seien, werde noch diskutiert. Die Stofftiere seien ein Versuch, dieses selbstzerstörerische System freundlicher erscheinen zu lassen. Die Tiere sollten all die netten Eigenschaften der jeweiligen Firma repräsentieren. Natürlich nutze das nichts, aber mittlerweile hätten fast alle großen Unternehmen solche sanften Maskottchen, jede Bank, jeder Autohersteller, die Polizei und selbst für Aussichtsplattformen und Studiengänge werde damit geworben. Sehr schnell seien die Tierarten ausgegangen, und deshalb habe man solche Mischwesen erfunden. Einmal im Jahr würde sogar das schönste Stofftier gewählt. Viele Menschen in Tokio würden Haustiere vermissen. Die Wohnungen seien unbezahlbar, die Quadratmeterpreise zählten zu den höchsten der Welt. Und weil niemand in diesen winzigen Zimmern einen Hund oder eine Katze halten könne, gäbe es jetzt Tiercafés, in denen man Hunde, Katzen, Kaninchen und Hamster streicheln und mit ihnen spielen könne.

Sie fragte mich, warum ich in diesem Hotel wohnen würde.

»*Lost in Translation*«, sagte ich.

Allison lachte und sagte, das sei ein guter Grund. Ob ich wüsste, sagte sie, dass der Kuss zwischen den beiden Hauptdarstellern nicht im Drehbuch gestanden hätte, und wir fragten uns, was Bill Murray Scarlett Johansson zum Abschied ins Ohr geflüstert hatte. Allison mochte Sofia Coppola, und Bill Murray hatte sie ein paar Mal in Los Angeles getroffen, er sei ein großartiger und sehr ungewöhnlicher Mann. Wir sprachen weiter über Filme und über Japan, es war einfach und leicht mit ihr, und als wir gegessen hatten, blieben wir weiter sitzen. Allison war erst vor zwei Stunden in Tokio gelandet, sie hatte im Flugzeug nicht geschlafen und war ebenso müde wie ich. In der Bar durfte man rauchen, ich bestellte noch ein Eiswasser und noch einen Kaffee, und zum ersten Mal, seit ich hier war, war es ruhig und angenehm.

Es gibt Geschichten, die man nur in einer solchen Bar nachts einem Fremden erzählen kann. Draußen gehen Menschen weiter in Clubs, in Karaoke-Bars und Restaurants, sie verkleiden sich und lieben sich und hassen sich und sind sich gleichgültig, aber man selbst gehört für einen kurzen Moment nicht mehr dazu und fällt aus der Zeit. Hier oben in dieser Bar, hoch über der größten Stadt der Welt, hört man die sanfte Stimme der Sängerin, sie singt Billy Joels *And So It Goes* und Chet Bakers *I'm Old Fashioned*, und es gibt nur das Klirren der Gläser, die leisen Anweisungen der Kellner und die gedämpften Stimmen der anderen Gäste. Später gehen alle nach Hause, die Welt beginnt erneut mit all ihren Farben und ihrem Lärm und ihrer Aufgeregtheit, und man sieht sich nie wieder. Es sind nicht die Geschichten der Sieger, nicht die lauten Sätze, die man auf Golfplätzen und in Flughafenlounges hört. Es sind leise Erzählungen von verregneten Nachmittagen und von schwarzen Nächten, und die Helden haben das Spiel endgültig verloren. Aber diese Geschichten beschützen uns vor der Einsamkeit, den Verletzungen und der Kälte. Und am Ende sind sie das Einzige, was uns wirklich gehört.

Ich fragte Allison, warum sie in Japan sei. Sie sagte, sie müsse sich um die Filiale ihrer Kanzlei in Tokio kümmern, es sei einiges aufzuräumen. Sie stockte, und dann hatte sie Tränen in den Augen. Ich gab ihr ein Taschentuch.

»Danke, halb so schlimm«, sagte sie. Sie versuchte wieder zu lächeln, ihre Schminke war ein wenig verwischt. »Es ist keine gute Geschichte, na ja, eigentlich ist sie es schon, sie ist schließlich mein Leben.«

Allison stammte aus New York, ihr Vater war ein bekannter Anwalt. Sie war intelligent, hübsch und sehr ehrgeizig. Sie bekam ein Stipendium in Princeton und danach eines in Harvard, sie studierte Jura und wurde sogar Redaktionsleiterin der *Harvard Law Review*. Nach dem Studium begann sie in einer der besten Kanzleien des Landes, sie hatte ihren Sitz in Los Angeles. Sie arbeitete hart, und nach zwei Jahren wurde sie Juniorpartnerin, ihr Spezialgebiet war das Urheberrecht. Sie betreute Schauspieler, Regisseure und Musiker, und sie machte ihre Sache sehr gut. Mit 26 Jahren heiratete sie Matthew, einen Anwalt aus der gleichen Kanzlei, sie hatte schon in Harvard mit ihm studiert. Matthew sah aus wie viele Männer seiner Generation, die noch mit 50 Jahren die Figur von Jungen haben werden und deren »existentielle Krisen«, wie sie es nannten, aus einem Streit mit ihren Eltern oder der Trennung von ihren Freundinnen bestand. Er hatte wie sie zwei Ivy-League-Abschlüsse, sie verstanden sich gut, ihre Familien ähnelten sich und ihre Pläne auch. Sie mieteten eine kleine Wohnung, dann eine größere, und schließlich kauften sie ein kleines Haus. Die Kanzlei schätzte ihre Arbeit, beide bekamen immer größere Mandate, sie hatten jetzt ihre eigenen Assistenten. Oft sahen sie sich nur zufällig auf den Fluren der Kanzlei oder in Restaurants in der Stadt und ansonsten lediglich nachts, wenn sie müde und so erschöpft waren, dass sie nicht mehr sprechen konnten. An den Wochenenden schliefen sie oder organisierten die Dinge des täglichen Lebens.

Und dann bekam Allison einen neuen Mandanten, einen berühmten Rockstar. Es war ein kompliziertes und anstrengendes Mandat, der Musiker hatte seine Plattenfirma im Streit verlassen, und sie musste alle Verträge neu verhandeln und die weltweiten Rechte ordnen. Sie dachte, seine Songs würden ihr nichts bedeuten, sie hörte sie manchmal in der Kanzlei, während sie am Schreibtisch saß, und fand sie etwas zu schlicht. Aber als er sie zum ersten Mal zu einem Konzert einlud, war sie von den 40 000 Menschen im Stadion und der Kraft seiner Musik und seiner Verletzlichkeit und Offenheit überwältigt. Sie ging mit seiner Managerin in die

Garderobe des Stars, er stand verschwitzt inmitten lauter Menschen, er sah sie, winkte ihr zu und sagte: »Komm her.« Das war alles. Später fuhren sie in sein Hotel und schliefen zum ersten Mal miteinander. Dieser Musiker war anders als die Männer, die sie vor ihm gekannt hatte, und er war in jeder Hinsicht das Gegenteil von Matthew. Er schien aus einer Welt zu stammen, die nichts mit ihr zu tun hatte, nichts mit ihren Freunden und nichts mit den Sätzen, die sie sagte, und den Dingen, die sie tat. Drei Jahre lang besuchte sie, wann immer sie konnte, seine Konzerte, sie begleitete ihn auf Tourneen durch Europa und Asien und verbrachte Wochen in seinem Haus, das er zwischen Los Angeles und Las Vegas in der Wüste hatte bauen lassen. Matthew erklärte sie, dass das Mandat sehr aufwendig sei und sie leider viel Zeit mit »diesem schwierigen Mandanten« verbringen müsse. Später konnte sie sich kaum daran erinnern, ob es in diesen drei Jahren außer mit dem Musiker überhaupt ein Leben gegeben hatte.

Fast auf den Tag genau nach drei Jahren trennte er sich von ihr. Sie hatte immer gewusst, dass es so kommen würde, aber es war ihr gleichgültig gewesen. Sie wusste längst, dass der Musiker verloren war, dass er sich selbst nicht ertragen konnte und dass seine Musik immer sein einziges Zuhause sein würde. Aber bisher hatte sie selbst die Männer verlassen, sie war in ihren Beziehungen immer die Stärkere gewesen, ihre früheren Freunde – und auch Matthew – hatte sie danach ausgesucht. Das jetzt war neu und verunsicherte sie noch später viele Jahre.

Er schenkte ihr zum Abschied eine Uhr, eine Cartier Tank Cintrée, sie hatte ein dunkelgrünes Zifferblatt aus Jade, gelbe Zeiger und leuchtend gelbe arabische Ziffern. Er sagte, die Uhr sei ein Unikat, Cartier habe sie 1929 für Marlene Dietrich hergestellt. Er hatte sie bei Sotheby's in Paris für Allison ersteigert, und jetzt legte er ihr das Armband um das Handgelenk und küsste sie lange auf den Mund. Ein Taxi brachte sie zum Flughafen, sie bewegte sich in der Abfertigungshalle wie in Trance, sie konnte nicht einmal weinen. Auf dem Rückflug starrte sie immer wieder auf die Uhr, auf das grüne Zifferblatt mit den gelben Zeigern, die sich sehr langsam bewegten. Sie hatte noch nie etwas so Wertvolles besessen. Erst kurz vor der Landung wurde ihr klar, dass sie die Uhr zu Hause oder in der Kanzlei unmöglich tragen konnte, sie würde Matthew sofort auffallen. Sie legte sie zurück in die rote Box. Zuhause verstaute sie die Schachtel in einer alten Tasche ganz hinten in ihrem Kleiderschrank. Manchmal, wenn sie allein war und an den Musiker dachte, nahm sie die Uhr heraus, zog sie auf und sah der Bewegung der Zeiger zu.

Zwei Jahre später starb ihre Großtante in New York. Sie hatte keine Kinder, und deshalb hatte sie

Allison als Alleinerbin eingesetzt. Ihr Vater hatte das Testament entworfen, es war nie wieder geändert worden, und Allison würde jetzt die Aktien, die Bilder, den Schmuck und vor allem die große Wohnung auf der 6th Avenue erben. Matthew und sie hatten oft über dieses Apartment gesprochen, sie würden es verkaufen, um mit dem Geld ein größeres Haus oben in den Hügeln über Los Angeles zu kaufen. Ihre Großtante hatte das gewusst und war einverstanden gewesen.

Allison legte die Uhrenbox heimlich in ihren Koffer und flog mit Matthew nach New York. Sie wohnten zwei Tage bei ihren Eltern und wollten von dort aus auf die Trauerfeier fahren. Allison sagte, sie ginge noch einmal in das Apartment, um Abschied zu nehmen. Als Kind war sie oft bei der Tante gewesen, und natürlich verstand jeder, dass sie dort ein wenig alleine sein wollte.

Sie ließ sich die Schlüssel geben, steckte die Uhrenbox in ihre Handtasche, und sobald sie in dem Apartment war, schloss sie den Tresor auf und legte sie zu dem übrigen Schmuck ihrer Tante. Dann nahm sie das große Schwarzweißfoto, das in einem Silberrahmen auf dem Flügel stand, und ging damit zum Sofa. Auf dem Foto waren zwei junge Frauen in schwarzen Badeanzügen, sie saßen Arm in Arm auf einem Bootssteg, die Beine im Wasser, und lachten in die Kamera. Sie erkannte die Gesichtszüge ihrer Großtante, es war die jüngere der beiden Frauen auf dem Foto. Die andere Frau war die große Liebe ihrer Großtante gewesen, sie war lange vor Allisons Geburt gestorben. Nach dieser Frau war die Großtante alleine geblieben. Zu Allison hatte sie einmal gesagt, dass nichts es wert sei, dass man sich von dem abwende, was man liebe. Allison wusste, dass ihre Großtante sie verstanden hätte.

Nach der Beerdigung auf dem Weg zum Wagen sah Allison aus Gewohnheit auf ihr Handy. Siebzehn Anrufe aus dem Büro und eine Sprachnachricht. Sie blieb stehen, entschuldigte sich bei den anderen und rief in der Kanzlei an. Ein neuer Mandant, damals einer der gefragtesten Regisseure Hollywoods, wollte seine Anwälte wechseln und hatte ausdrücklich nach ihr verlangt. Die Dreharbeiten seien unterbrochen, sie solle sofort kommen, eine Maschine sei schon gebucht. Allison wusste, dass dieses Mandat die volle Partnerschaft in der Kanzlei bedeuten würde. Sie musste zurück, es ging nicht anders. Matthew fuhr sie zum Flughafen, er würde nachkommen, sobald die Erbangelegenheiten geregelt wären. Sie vereinbarten, dass er nur den Schmuck und die Fotos mitnehmen solle, die Bilder, die Bücher und die Möbel wollten sie zusammen mit dem Apartment verkaufen, Matthew sollte einen Makler beauftragen.

Obwohl Matthew schon nach zwei Tagen zurückkam, sahen er und Allison sich kaum. Sie arbeitete die ganze Woche durch, kam spätnachts nach Hause, fiel ins Bett und stand lange vor ihm wieder auf. Dann endlich war es geschafft, die Verträge waren neu verhandelt, und der Mandant konnte weiterdrehen. Allison schlief einen ganzen Tag, und erst am Wochenende packte sie mit Matthew den Schmuck aus, den ihr die Großtante hinterlassen hatte. Es waren sehr schöne Stücke, das meiste zwar alt, aber immer noch tragbar. Allison sah sofort, dass das rote Kästchen mit der Uhr fehlte. Sie fragte Matthew so unauffällig wie möglich, ob das alles sei, was im Tresor gewesen war. »Ja, natürlich«, sagte er. Beide sahen sich nur sehr kurz und sehr unsicher an.

Vier Monate später wurden die Emmys verliehen. Allison war gerade in New York bei ihrer Familie, und sie sahen zusammen auf dem großen Bildschirm in der Bibliothek ihres Vaters der Preisverleihung zu. Matthews wichtigste Mandantin, eine bildschöne 22-jährige Australierin, gewann den Preis als beste Hauptdarstellerin. Sie trug ein langes dunkelgrünes, tief ausgeschnittenes Kleid in exakt der Farbe ihrer Augen. Als der Umschlag geöffnet und ihr Name verlesen wurde, schlug sie die Hände vors Gesicht, rief »Oh my god«, ging den Flur entlang und die flachen Stufen zur Bühne hoch. Sie brachte es fertig, ein klein wenig rot zu werden, lächelte ihr berühmtes Lächeln, die dunkelgrünen Augen strahlten. Sie hielt den Preis in der linken Hand, während sie sich bei ihren Kollegen, dem Regisseur, ihren Eltern und der ganzen Welt bedankte. Und während der ganzen Zeit sah Allison, dass sie am Handgelenk die leicht gebogene Cartier Tank Cintrée mit dem dunkelgrünen Zifferblatt und den leuchtend gelben Ziffern trug.

Vier

Eine Hochzeit in Lourmarin im Luberon. Ein Freund, von dem ich weiß, dass er nicht an Gott glaubt, vollführt alle Riten der katholischen Kirche, Aufstehen, Kreuzzeichen, Schuldbekenntnis, An-die-Brust-Schlagen, Knien, Beten, Glaubensbekenntnis. Er wolle nur höflich sein, sagt er mir später.

Religiöse Rituale einzuhalten war für Marc Aurel, den römischen Kaiser und Stoiker, ein Gebot der Staatsraison, nicht des Glaubens. Glauben war Privatsache, die Einhaltung der Riten dagegen Staatsangelegenheit. Auch in Athen ging es nur um das Äußere, der Staat überprüfte nicht, ob der Betende wirklich glaubt. Erst mit den Christen wurde das anders. Sie wollten Wahrheit bezeugen.

In der Bibel, im Johannes-Evangelium, sagt Jesus zu Pontius Pilatus, er sei in die Welt gekommen, um »Zeugnis für die Wahrheit« abzulegen. Pilatus fragt daraufhin: »Quid est veritas?«, »Was ist Wahrheit?« Das ist wohl das Klügste, was man nach einem solchen Satz sagen kann. Pilatus wendet sich ab, eine Antwort erwartet er nicht.

In Wirklichkeit kann es dieses Gespräch nicht gegeben haben. Jesus sprach nur Aramäisch, Pilatus Latein und vielleicht ein wenig Griechisch. Wahrscheinlich sind sich die beiden nie begegnet.

Fünf

Der Verleger hatte mir die Koranschule Medersa Ben Youssef gezeigt, den Bahia-Palast und die Königsgräber. Am Schluss wollte er noch zum riesigen Platz im Zentrum von Marrakesch, aber ich kannte ihn schon und versuche, Orte zu meiden, die in Reiseführern »exotisch« genannt werden – Feuerspucker, Affenbändiger und Schlangenbeschwörer bedeuten mir nichts. Ich war froh, als ich wieder im Hotel abgesetzt wurde und alleine war. Das La Mamounia ist eines der angenehmsten Hotels auf dem afrikanischen Kontinent, 1922 von der staatlichen Eisenbahngesellschaft Marokkos gebaut, eine Mischung aus französischer und marokkanischer Architektur. Churchill malte hier und hielt es für den schönsten Ort der Welt, Roosevelt und de Gaulle übernachteten in diesem Hotel, Cameron Diaz, Tom Hanks und Gwyneth Paltrow sind regelmäßig Gäste.

Es war zu früh, um zu schlafen, also ging ich in den Garten. Hier war es ruhig und friedlich, und allmählich wurde es auch kühler. Ich stellte meine Aktentasche auf den Boden und setzte mich in einen Bastsessel am Pool. Der Verleger hatte gesagt, wie schwierig es für ihn hier im Land sei, in arabischer Sprache lasse sich wegen der Zensur kaum über die Probleme des Landes schreiben. Die jüngeren Autoren würden jetzt auf Französisch schreiben, die Sprache sei nur noch ein Mittel und nicht, wie das Hocharabisch, eine eigene Kultur. Und leider würden dann alle auch lieber in französischen Verlagen veröffentlichen. Das sei zwar verständlich, für ihn aber ein Problem. Daran dachte ich und daran, welches Glück es war, in Europa zu leben und frei zu sein.

»Guten Abend«, sagte der Mann und streckte mir die Hand entgegen.

Ich stand auf und sah ihn an. Ich wusste nicht, wer er war.

Der Mann war groß und dünn, er trug einen hellen Leinenanzug. Ich entschuldigte mich für mein schlechtes Gedächtnis.

»Sie haben mich vor sechzehn Jahren verteidigt«, sagte er, aber ich erinnerte mich trotzdem nicht. »Störe ich Sie?«

Ich schüttelte den Kopf, obwohl ich eigentlich nach diesem Tag keine Lust mehr auf eine Unterhaltung hatte. Er setzte sich und bestellte bei dem Kellner etwas Exotisches zu trinken.

»Und?«, fragte er. »Ist es Ihnen wieder eingefallen?«

»Tut mir leid«, sagte ich.

»Mein Name ist Peter Traub. Uhren-Traub, aus Tautzingen.«

Dunkel erinnerte ich mich an das Verfahren.

»Es ging um einen Unfall bei Ihnen zu Hause. Ein Mann ist unglücklich gestürzt, oder?«

»So ähnlich«, sagte Traub und machte eine lange Pause.

»Und was machen Sie hier?«, fragte ich, weil mir sonst nichts einfiel.

»Ich wohne hier«, sagte er.

»Hier im Hotel?«

»Nein, in der Stadt.«

»Wie sind Sie hier gelandet? Und seit wann leben Sie hier?«

Traub antwortete nicht mehr. Das Schweigen wurde etwas unangenehm. Ich stand also auf.

»Entschuldigen Sie, ich muss leider ins Bett, morgen wird ein anstrengender Tag.«

»Ich bin unhöflich«, sagte Traub. Seine Stimme klang jetzt weich. »Das schien eben noch so lange her zu sein, aber jetzt ist es wieder da.«

»Was meinen Sie?«

»Die Sache mit dem Unfall. Und alles, was damit zusammenhängt. Ach bitte, bleiben Sie doch noch einen Moment.«

Ich setzte mich wieder in den Bastsessel.

»Damals konnte ich es Ihnen einfach nicht erklären, und auch sonst niemandem. Dabei ist es ja gar nicht kompliziert, aber ich hatte einfach nicht den Mut.«

Ein junges Paar ging an uns vorbei ins Hotel. Sie küssten sich.

»Wissen Sie, deshalb bin ich hierhergezogen. Vor vierzehn Jahren, mein Gott, das kommt mir ganz unwirklich vor. Wenn Sie mögen, erzähle ich Ihnen die ganze Geschichte. Ich habe noch nie darüber gesprochen, aber Sie waren ja mein Anwalt.«

»Gerne«, sagte ich.

Er winkte dem Kellner, ich bestellte ein Wasser mit Minze. Traub zündete sich eine Zigarre an.

1978 erbte Traub das Familienunternehmen in Tautzingen, eine Uhrenfabrik. Er war damals 22 Jahre alt und studierte Betriebswirtschaft in Berlin. Er war das einzige Kind seiner Eltern. Seine Mutter war eine elegante Frau aus einer Familie genuesischer Teehändler. Sie passte nicht in die süddeutsche Kleinstadt und nicht zu Traubs schwermütigem Vater. Sie waren sich beim Skifahren in Sils Maria vorgestellt worden, ihre Eltern waren seit langem befreundet. Traubs Vater sagte später, es sei eine »Irrtumsehe« gewesen, man solle keine Frau heiraten, die man in den Ferien kennenlerne. Neun Jahre nach der Hochzeit verließ die Mutter den Vater wieder. »Ich bin eine Frau für zehn Jahre, nicht für ein ganzes Leben«, soll sie bei der Scheidung gesagt haben. Sie zog mit ihrer neuen Liebe nach London, besuchte ihren Sohn nur an dessen Geburtstagen und starb ein paar Jahre später bei einem Autounfall.

Die Uhrenfabrik in Tautzingen war 1826 gegründet worden und seitdem im Besitz der Familie. Ursprünglich wurden dort Großuhren für Kirchtürme, Rathäuser und Fabriken hergestellt, später Schiffs- und Taschenuhren und seit den 1920er Jahren Wecker und Armbanduhren. Das Unternehmen hatte einen ausgezeichneten Ruf, aber seit Beginn der 70er Jahre hatten japanische Quarzuhren den Markt für mechanische Uhren beinahe vollständig zerstört. Traubs Vater, der nach seiner ersten Frau nie wieder geheiratet hatte, leitete das Familienunternehmen. Er konnte den Niedergang seines Betriebs und der ganzen Branche nicht ertragen. An einem Sonntagnachmittag trank er eine Flasche Wachholderschnaps, schrieb einen wirren und unleserlichen Brief an seinen Sohn, torkelte in den Wald und erhängte sich an einem Lederriemen.

Traub blieb nach der Beerdigung in Tautzingen. Mit der Sekretärin seines Vaters verbrachte er eine Woche in dessen altem Büro und ließ sich von ihr die Geschäftsbücher so lange erklären, bis er alles verstand. Dann kündigte er sämtlichen Mitarbeitern, bezahlte ihnen eine kleine Abfindung und sagte, er werde jeden Einzelnen wieder einstellen, sobald er das könne. Nur die Sekretärin bat er zu bleiben. Er fuhr noch einmal nach Berlin, löste seine Studentenwohnung auf, verschenkte seine Bücher und Möbel und zog dann ganz nach Tautzingen. Das Studium brach er ab.

Jeden Tag ging er in das leere dreistöckige Fabrikgebäude mit den hohen Fenstern, in dem früher 1200 Menschen gearbeitet hatten. Aus dem Lager verschickte er selbst die zwei oder drei monatlichen Bestellungen, die noch immer eintrafen. Er hielt die Maschinen in Ordnung, ersetzte manchmal eine zerbrochene Fensterscheibe, heizte im Winter ein wenig, damit die Leitungen nicht einfroren, und mähte im Sommer den Rasen vor dem großen Gebäude. Einen alten Uhrmachermeister beschäftigte er auf Stundenbasis, wenn ein Kunde eine Uhr zur Reparatur schickte. Das Angebot eines Schweizer Konzerns, die Fabrik und die Namensrechte zu kaufen, schlug er aus. Die Sekretärin kümmerte sich um die verbliebene Buchhaltung und die laufenden Wartungsverträge für die Maschinen und Gebäude.

Nach vier Jahren schickte die Unternehmervereinigung des Landkreises zwei Marketingexperten, sie sollten dem jungen Traub helfen, die Firma neu auszurichten, um den Betrieb wieder aufnehmen zu können. Die Experten schlugen vor, die Uhren zu modernisieren, sie leichter zu machen, Quarzwerke zuzukaufen und den Zifferblättern ein modernes Design zu geben. Traub lehnte alle Vorschläge ab. Die Produkte des Unternehmens sollten nicht modisch, sondern haltbar sein, das habe sein Vater immer gesagt. Seine Familie habe seit 150 Jahren ordentliche Uhren fabriziert, und es gäbe überhaupt keinen Grund, irgendetwas an ihrem Werk oder Design zu ändern. Traub zeigte den Beratern das Bild des Kaisers, das im Eingang der Fabrik hing, er führte sie zu einer Pendeluhr, die für einen Fürsten Esterházy hergestellt, aber nie abgeholt worden war, und holte den Ordner mit den Dankesschreiben der Kunden. Die Experten erklärten, man müsse mit der Zeit gehen, wer stehenbleibe verliere. Traub hörte ihnen nicht mehr zu. Nachdem sie gegangen waren, sagte er zu der Sekretärin, die »Marketingmenschen« in ihren teuren Anzügen und spitzen Schuhen seien genauso albern wie die Dinge, die er auf der Universität gehört habe. Dann tippte sie auf seinen Wunsch einen Brief an den Verband, dass er sich für den Besuch bedanke, aber keine weitere Einmischung in seine Angelegenheiten wünsche. Traub war jetzt 26 Jahre alt.

Er wohnte in dem seltsamen Haus seiner Kindheit, der Vater hatte ihm genug für das tägliche Leben hinterlassen. Vor 120 Jahren hatte der Sohn des Unternehmensgründers hoch über Tautzingen auf das schmale Plateau eines Kalkfelsens ein Haus im englischen Tudorstil gebaut, eine kitschige, asymmetrische kleine Schlossanlage mit Zinnen und Erkern. Nur der Blick war beeindruckend, die Stadt lag weit unten, und an guten Tagen konnte man von hier sogar die Alpen sehen. Traubs Mutter hatte die alten Bäder und Küchen herausreißen und die gefälschten Barockmöbel entsorgen lassen. Dann hatte sie die Räume in einer Mischung aus Louis-quinze und Laura Ashley einrichten und tapezieren lassen, französische Vorhänge aufgehängt und bequeme italienische Sofas in die hohen Räume gestellt. Das Ganze sah danach nur noch merkwürdiger aus.

Traub schlief in dem früheren Zimmer seiner Eltern. Ein Ehepaar, das noch sein Vater angestellt hatte, kümmerte sich um die Wäsche, das Haus und den Garten. Das Unternehmen selbst war schuldenfrei, sein Vater hatte nie einen Kredit aufgenommen, weil er Bankiers für »liederliche Leute« hielt, die Geld verleihen, das ihnen nicht gehört. Aus Langweile absolvierte Traub eine Lehre als Gold- und Silberschmied in einem benachbarten Betrieb, er las viel, machte den Jagd- und den Angelschein und überlebte so zwölf Jahre vollkommenen Stillstands.

Ende der 80er Jahre wollten wohlhabende Kunden keine Quarzuhren mehr tragen, sie verlangten wieder etwas Handwerkliches. Federwerke, Schwingsysteme und Zahnräder waren erneut gefragt, das Wort »Manufaktur« bekam einen neuen Glanz. Ein großer Versandhändler besuchte Traub in Tautzingen, er interessierte sich für die mechanischen Uhren und die ununterbrochene Firmengeschichte. Er besichtigte die Fabrik, trank mit Traub Himbeerschnaps oben im Garten des Hauses und schlug vor, Traub solle die Uhrenfertigung wieder aufnehmen. Traub sagte zu, und der Versandhändler ließ eine Firmenbroschüre mit dem Bild des Kaisers, Schwarzweißfotografien der Fabrik und der Gründungsurkunde erstellen. Dann nahm er zwei Traub-Taschenuhren und einen traditionellen Wecker in seinen Katalog auf.

Es funktionierte. Zwei Jahre später beschäftigte Traub wieder 180 Mitarbeiter und belieferte, wie früher, ein Netz sorgfältig ausgesuchter Händler. Er stellte auf den alten Maschinen die gleichen Uhren wie schon vor sechzig Jahren her. Die Käufer schienen genau das zu wollen. In die Produktpalette nahm er nach langem Zögern eine neue, elliptisch geformte Armbanduhr auf. Traub hatte den Entwurf eines zu seiner Zeit berühmten französischen Designers der 20er Jahre im Firmenarchiv gefunden, die Uhr sollte den goldenen Schnitt auf der Größe eines Zifferblattes umsetzen. Mit den Uhrmachermeistern wurde fast zwei Jahre lang ein neues Werk entwickelt, das in das dünne Gehäuse passte. Das Modell gewann in Genf einen bedeutenden Preis, die Fachpresse war begeistert, und es wurde das erfolgreichste Produkt der Firma. Als in einem amerikanischen Blockbuster der Held die neue Traub-Uhr trug, wurde die Firma über Nacht weltweit bekannt. Traub entwarf weitere Armbanduhren, erweiterte vorsichtig die Produktion, und nach wenigen Jahren war er wieder der größte Arbeitgeber des Landkreises. Die Gewinne investierte er in andere Unternehmen, wobei er sich nie auf etwas einließ, was er nicht vollkommen verstand. Nach einigen Jahren besaß er zwei Sägewerke, einen Schlachtbetrieb, die Mehrheitsbeteiligung an einer Fabrik für Schneepflüge und eine Glasbläserei. Er kaufte auch eine Schnapsfabrik, die Obstler und Magenbitter herstellte, vor allem aber den Wacholderschnaps, den sein Vater getrunken hatte, bevor er sich erhängte.

An seinem 50. Geburtstag wog Traub 140 Kilogramm, er bezog seine Zigarren von Zechbauer aus München, trug dreiteilige Anzüge und an einer goldenen Kette die Taschenuhr seines Vaters. In Tautzingen und im Landkreis war er hochgeachtet, er wurde Vorsitzender der freiwilligen Feuerwehr, des Heimatvereins und der Narrenzunft, er unterstützte mit Spenden den Schützen-, den Jagd- und den Anglerverein, und er spendete Geld für den neuen Belag des Tennisplatzes. Die Belegschaft des Unternehmens entlohnte er weit über Tarif, er baute einen Werkskindergarten und vergab Kredite an Firmenangehörige, wenn sie sich ein Haus oder eine Wohnung kaufen wollten. Uhren-Traub, wie man ihn jetzt nannte und wie vor ihm sein Vater und Großvater genannt worden waren, galt als Musterbeispiel eines bodenständigen und sozialen Familienunternehmers. Nur manchmal wunderten sich die Bewohner von Tautzingen, dass er immer noch ledig war und nie eine Affäre bekannt wurde.

Jahr für Jahr fuhr Traub regelmäßig alle sechs Wochen nach Berlin. In Tautzingen glaubte man, dass er dort Freunde aus seiner Studentenzeit besuchte oder neue Geschäfte anbahnte. Aber Traubs Ausflüge hatten einen ganz anderen Grund.

Vor längerer Zeit hatte er eine kleine Wohnung in der Motzstraße in Berlin-Schöneberg gekauft. Sobald er freitags dort ankam, zog er schwarze glatte Lederhosen und schwarze T-Shirts an, trug Make-up auf, schminkte seine Augen und klebte sich lange Wimpern an. Dann tauchte er bis Sonntagfrüh in die Schwulenszene in Schöneberg und Berlin-Mitte ab, er ging in die Greifbar, in den Hafen, in den Suicide Circus und natürlich in den KitKatClub. Er tanzte, trank, flirtete und küsste die Nächte durch. Die Szenegänger, die ihn kannten, nannten ihn »Dicke Hummel«, weil er beim Tanzen die Arme an den Körper legte und wie mit Flügeln damit flatterte. In den frühen Morgenstunden kaufte er Poppers bei einem osteuropäischen Händler, kleine bunte Glasflaschen mit Aufschriften wie *Liquid Gold* oder *Bang!*: Partydrogen, die in den Clubs wegen ihrer berauschenden und gleichzeitig schmerzstillenden Wirkung viele Abnehmer fanden. Die letzte Station seiner Tour war jedes Mal die Mondäne Moräne, auch dort tanzte er noch eine Weile und ging schließlich in einen Darkroom, dessen versteckter Eingang in einer Ecke der Tanzfläche lag. Der große Raum war nur sehr schwach beleuchtet, Traub konnte kaum die Umrisse der Menschen erkennen. Sobald er die fremden Hände an seinem Körper spürte, öffnete er eine der Glasampullen, inhalierte den Inhalt mit einem Zug, und dann vergaß er, dass er Uhren-Traub aus Tautzingen war und eigentlich ein ganz bürgerlicher Mensch.

Nachdem er am Sonntag ausgeschlafen hatte, räumte er die kleine Wohnung auf, zog ein frisches Hemd und seinen dreiteiligen Anzug wieder an, legte für die Putzfrau Geld auf den Küchentisch und nahm den letzten Zug zurück. Wenn er dann in Tautzingen spätnachts ankam, machte er sich meistens noch ein Brot mit Butter und Schinken in der Küche, setzte sich in den Garten und rauchte eine Zigarre. Weit unten, am anderen Ende der Stadt, sah er seine beleuchtete Fabrik und über ihr das grüne Schild mit der englischen Schreibschrift: *Gustav Traub & Sohn, Uhrenfabrikation seit 1826*.

Mitten im Hochsommer, an einem der heißesten Tage des Jahres, meldete die Sekretärin Traub einen

Besucher. Sie sagte, sie wisse nicht, wer er sei, der Herr habe jedenfalls keinen Termin. Traub empfing ihn in seinem holzgetäfelten Büro, in dem seit 120 Jahren – bis auf den Computer und das Telefon – nie etwas geändert worden war. Der Besucher war etwa 30 Jahre alt, er hatte einen Dreitagebart, trug Jeans, Sneakers und ein verwaschenes hellgrünes T-Shirt.

»Guten Tag, ich bin Peter Traub. Was kann ich für Sie tun?«, sagte Traub.

Der Fremde sah ihn an und grinste.

»Ich weiß, die dicke Hummel.«

Traub ging sehr ruhig zur Tür, schloss sie und lehnte sich mit dem Rücken dagegen.

»Was wollen Sie?«, sagte Traub.

»Nun mal nicht so aufgeregt. Was will ich? Was willst Du? Ich bin den ganzen weiten Weg aus Berlin zu Dir gekommen, um Dir etwas zu schenken.« Der Besucher zog einen verknitterten weißen Umschlag aus seinem Hosenbund und hielt ihn Traub hin.

»Was ist das?«, fragte Traub. Er ging um seinen Schreibtisch herum und setzte sich.

»Schau es Dir an. Hummeln sind doch neugierig.« Der Besucher legte den Umschlag auf den Tisch. Dann machte er mit den Armen eine flatternde Bewegung, summte und lachte.

Traub starrte den Mann an. Er öffnete den Umschlag und nahm die Fotos heraus. Es waren quadratische Polaroids aus der Mondänen Moräne, sie zeigten Traub verschwitzt und mit Glitter im Gesicht, wie er auf dem Boden kniete und einen Mann oral befriedigte. Die Fotos waren unscharf, es war wohl zu dunkel für die Kamera gewesen. Aber mit ein bisschen Phantasie konnte man Traub erkennen. Traub legte die Fotos wieder zurück in den Umschlag.

»Also?«, sagte Traub.

»Also was? Schau, meine kleine, dicke Hummel, mir gehört die Mondäne Moräne. Aber die Zeiten sind hart, wie Du weißt. Ich brauche Geld, und Du hast Geld, Du hast sogar eine ganze Fabrik. Würde jetzt nicht so gut passen, wenn bekannt wird, wer Du wirklich bist. Kleines Imageproblem dann, nicht wahr? Wir sind ja nicht in Berlin, das sind andere Leute hier in Deinem kleinen, stinkenden Scheißkaff.«

»Wie viel?«, sagte Traub.

»Ich habe so an hunderttausend gedacht.«

»Das ist lächerlich. Zehntausend«, sagte Traub. »Mehr nicht. Woher weiß ich, dass das alle Fotos sind.«

»Das kannst Du nicht wissen, Du musst mir vertrauen. Aber das kannst Du auch. Ich bin Geschäftsmann, kein Erpresser. Hast Du das Geld da?«

»Nein.« Traub schrieb seine private Adresse auf einen Zettel. »Kommen Sie heute Abend um siebzehn Uhr zu mir. Ich werde bis dahin das Geld besorgen. Das Haus können Sie nicht verfehlen, es steht oben auf dem Felsen.«

»Eine Einladung, ach, wie schick«, sagte der Besucher.

In diesem Moment hatte Traub eine Idee. Er stand auf und setzte sich vor den Besucher auf die Kante des Schreibtisches. Seine Stimme wurde ganz weich.

»Wissen Sie«, sagte Traub, »ich bin immer alleine hier und freue mich über Besuch. Wir trinken etwas, und Sie erzählen mir, was Sie sonst so in Berlin machen. Einverstanden?«

»Und das Geld?«

»Sie bekommen die zehntausend. Gut?«

»Ich hatte mit mehr gerechnet.«

»Ich kann Ihnen nicht mehr geben. Die Fabrik läuft schlecht, ich weiß kaum, wie ich meine Rechnungen bezahlen soll.«

»Aber komm bloß nicht auf die Idee, die Polizei zu rufen«, sagte der Besucher. »Denen erzähle ich sofort alles über Dich, wenn die mich festnehmen. Ich habe keine Angst vor der Polizei, aber Du solltest welche haben.«

»Siebzehn Uhr, pünktlich«, sagte Traub.

»Pünktlich«, sagte der Andere und machte wieder die flatternde Bewegung. »Oh ja, ich bin pünktlich bei der dicken Hummel. Ganz arg pünktlich.«

Traub sagte seiner Sekretärin, der Besucher käme aus Berlin, er besitze einen bekannten Club, etwas zwielichtig vielleicht, aber mit einer jungen und, vor allem, reichen Klientel, und wolle dort Vitrinen mit Traub-Uhren aufstellen. Das wäre eine ganz neue Kundschaft, nicht uninteressant, er würde ihn heute Abend treffen. Dann fuhr Traub zum Essen in das benachbarte Dorf. Im Restaurant setzte er sich auf die Terrasse unter einen Schirm, zog das Jackett aus, bestellte dunkles Bier und geräucherte Schweineschulter mit Zwiebeln, Lorbeerblättern und schwarzem Pfeffer. Nach dem Essen zündete er sich eine Zigarre an. Es begann zu regnen, ein feiner, dünner Regen, der die Sommerhitze der letzten Wochen kaum abkühlte. Die Luft war feucht und warm. Traub sah über das dunkle Grün des Rasens hinunter zum See. Er dachte daran, wie der Vater ihm hier am Ufer im Schatten der Bäume das Schwimmen beigebracht hatte, die Zeit war damals langsam vergangen. Als Traub aufstand, stieß er mit dem Bauch gegen den Tisch, die silberne Gabel fiel auf die Steinfließen, ein heller, durchdringender Ton.

Um vier Uhr fuhr er zurück nach Tautzingen. Der Regen hatte aufgehört, die Straße glänzte schwarz. Er öffnete die Fenster des alten Wagens und hielt den Arm in den Fahrtwind.

Zu Hause nahm Traub 10 000 Euro aus dem Tresor in seinem Schlafzimmer und steckte sie in einen Umschlag. Er stellte einen Tisch auf den Rasen vor dem Haus und breitete eine weiße Tischdecke darüber. Weit unten lag die Stadt im weichen, hellen

Glanz des Juninachmittags. Dann ging er zurück ins Haus und wartete. Es war jetzt 16:30 Uhr.

Eine Dreiviertelstunde später parkte der Besucher seinen gelben Porsche vor dem Haus. Traub begrüßte ihn. Er führte ihn zu dem Tisch auf dem Rasen. Es war immer noch sehr warm, Traub setzte sich unter einen Sonnenschirm, den Besucher bat er, »wegen der Aussicht«, so Platz zu nehmen, dass er in der Sonne saß. Anschließend schlug er seinem Gast tatsächlich vor, in der Mondänen Moräne die Traub-Uhren auszustellen, er könne damit viel Geld verdienen, 50 Prozent gingen ja immer an den Verkäufer. Der Club-Besitzer war begeistert, Traub-Uhren waren schwer zu bekommen, und nur streng ausgesuchte Händler durften sie führen. Der Besucher rechnete sich reich, und Traub holte die Obstbrände und Schnäpse seiner Firma aus der Küche.

»Darauf müssen wir trinken«, sagte Traub und stieß auf die neue Partnerschaft an. Er schenkte dem Besucher wieder und wieder ein, er ließ ihn alle Obstbrände durchprobieren, dann die Magenbitter und schließlich den Wacholderschnaps.

»Das vertragen Sie schon«, sagte er. Dann legte er den Umschlag mit dem Geld auf den Tisch.

»Nein«, sagte der Club-Besitzer, »das geht doch jetzt nicht mehr. Wir sind Partner.«

»Doch, doch, Umschlag gegen Umschlag. Zählen Sie nach.«

»Aber nein, das ist doch nicht nötig«, sagte der Mann und kramte den Umschlag mit den Fotos hervor. Er gab ihn Traub, der ihn vor sich auf den Tisch legte. Dann grinste der Besucher wieder und zog ein weiteres Foto aus der Gesäßtasche seiner Jeans.

»Das habe ich behalten, zur Sicherheit, verstehst Du? Man muss immer eine Sicherheit haben. Aber jetzt, wo wir Partner sind, sollten wir uns ehrlich machen.«

»Danke«, sagte Traub und steckte auch dieses Foto in den Umschlag. »Nur zur Sicherheit, Partner: Sind das jetzt alle?«

»Alle«, sagte der Besucher. Er konnte kaum mehr sprechen, sein Gesicht war rot von der Hitze und dem Alkohol, und er schwitzte stark. »Absolut alle. Habe sonst kein einziges mehr. Auch ein bisschen schade, ist ja eine nette Erinnerung.«

»Gut«, sagte Traub. »Ich muss Ihnen jetzt etwas zeigen, Sie werden staunen. Kommen Sie, es lohnt sich.«

Traub nahm die beiden Umschläge vom Tisch und steckte sie in sein Jackett. Dann hakte er den Besucher unter, der kaum noch laufen konnte. Traub führte ihn an den Rand der Terrasse.

»Schauen Sie, dahinten unten, sehen Sie die Fabrik?«

Der Besucher riss die Augen auf.

»Ich seh' sie, o ja. Die Fabrik der Dicken Hummel. ›Gustav Traub & Sohn, Uhrenfabrikation seit 1826.‹ Wie hübsch.«

»Ja«, sagte Traub. »Wie hübsch.«

Die Polizei und die Gerichtsmedizinerin bargen später den Körper des Besuchers, es war eine anstrengende Arbeit. Sein Kopf war 60 Meter unter dem Haus am Boden des Kalkfelsen aufgeplatzt, Gehirnmasse und Blut klebten an den Steinen, die Glieder waren grotesk verdreht. Die Obduktion in der Gerichtsmedizin ergab, dass die Blutalkoholkonzentration des Mannes bei 2,8 Promille gelegen hatte.

»Den Rest kennen Sie«, sagte Traub zu mir.

»Ja. Die Staatsanwaltschaft hat ein Ermittlungsverfahren gegen Sie eingeleitet. Ich erinnere mich jetzt wieder. Es kam mir damals ein bisschen seltsam vor, dass Sie mich beauftragt haben. Es war mehr ein Routineverfahren, eigentlich war kein Anwalt nötig. Alles, was man Ihnen vorwerfen konnte, war doch, dass Sie Ihren Garten und die Terrasse nicht ausreichend abgesichert hatten.«

»Selbst dieser Vorwurf wurde fallen gelassen, es gab nie einen Prozess.«

»Und wie ging es weiter?«, fragte ich.

»Zwei Jahre später habe ich alles verkauft, auch mein Elternhaus. Ich bin nach Marrakesch gezogen, lebe mit einem Freund zusammen und habe 60 Kilo abgenommen.«

»Sie haben also eigentlich auch Ihren Körper in Tautzingen gelassen.«

Traub lachte. »So kann man es sagen.«

»Und womit beschäftigen Sie sich hier?«, fragte ich.

»Ich habe eine kleine Werkstatt und ein Juweliergeschäft am Place des Ferblantiers gekauft und stelle jetzt Schmuck her. In Marrakesch lebt mittlerweile viel internationale Prominenz, darunter auch Stars aus Hollywood, das ist gute Kundschaft. Der Schmuckmarkt, müssen Sie wissen, ist sehr einfach: Wenn Sie als Verkäufer viel Geld ausgeben können, können Sie die besten Steine kaufen. Und die besten Steine bringen dann auch am meisten im Verkauf. Es ist wirklich keine höhere Mathematik. Ich mache es nur, weil ich gerne Schmuck entwerfe und mir sonst langweilig wird. Eben habe ich einer Kundin ein herrliches Rubinarmband ins Hotel geliefert.« Er machte eine Pause und zündete sich eine neue Zigarre an.

»Fehlt Ihnen irgendetwas?«, fragte ich.

»Nein«, sagte er. »Oder doch: der Schnee und das süddeutsche Brot. Aber Schnee gibt es auch hier, wenn Sie 80 Kilometer nach Süden fahren, oben im Atlasgebirge. Sie können dort sogar Ski fahren, wenn Sie verrückt sind. Nur das Brot, das fehlt mir wirklich.«

In dem großen Garten des Hotels roch es nach Aprikosen, Orangen und Akazien.

»Wissen Sie«, sagte Traub, »in den ersten Jahren habe ich mich immer wieder gefragt, ob ich den Besucher wirklich geschubst habe oder ob ich mir das nur eingebildet habe. Ich weiß es einfach nicht, ich hatte auch viel zu viel getrunken.«

»Und heute?«, fragte ich.

»Heute? Heute ist es mir genauso egal wie die Traub-Uhren.«

Sechs

Ein Unfall vor dem Café, in dem ich morgens frühstücke. Ein Wagen hatte einen Radfahrer gestreift, er war gestürzt, hatte Verletzungen erlitten und war sofort ins Krankenhaus transportiert worden. Die Gäste und Kellner sprechen zwei Tage darüber.

Acht Monate später: Im westindischen Bezirk Nashik stößt ein Bus mit einer Motor-Rikscha zusammen, kippt um und stürzt in einen Brunnen. 26 Tote, 32 Verletzte. Die Meldung steht auf der letzten Seite der Zeitung.

Goethe schrieb: »Der Mensch ist zu einer beschränkten Lage geboren; einfache, nahe, bestimmte Zwecke vermag er einzusehen … sobald er aber ins Weite kommt, weiß er weder, was er will, noch was er soll.«

Sieben

Anselm Kiefer ist der letzte Alchemist, ich besuche ihn in La Ribaute, seinem 42 Hektar großen Gelände in dem Dorf Barjac in Südfrankreich. Alchemisten waren keine Wissenschaftler, sie waren Mystiker. Sie forschten nicht, sie riefen die Dinge zwischen den Welten an. Sie verwandelten. Die Bleiplatten des Kölner Doms werden bei Kiefer zu Büchern, Sonnenblumen, U-Booten und Kampfflugzeugen, Containerstapel werden zu Ruinenstädten, das Weltall oxydiert. In Kiefers besten Werken ist alles so unmittelbar und gleichzeitig rätselhaft wie in großen Symphonien, die uns berühren, sich aber nie ganz begreifen lassen. Oft zitiert er aus Ingeborg-Bachmann-Gedichten. Das sind keine intellektuellen Erklärungen und Zugänge, es sind mystische.

Bachmann war die deutschsprachige Lyrikerin der Nachkriegsjahre, 1953 »Die gestundete Zeit«, 1956 »Anrufung des großen Bären«. Im fast zwanzig Jahre jüngeren Kiefer klingen ihre Erfahrungen nach, das vom Krieg zerstörte Land, in dem er aufwuchs, seine Spielplätze waren die Ruinen. Das ist das Offensichtliche. Aber die eigentliche Verbindung zwischen Kiefer und Bachmann liegt tiefer.

Alle Kunst entsteht daraus, dass sich der Künstler der Welt unsicher ist. Diese Welt passt nicht zu ihm, und er passt nicht in sie, er fühlt sich fremd, er glaubt, er gehöre nicht dazu. Er versucht, das alles einmal zu verstehen, die Welt für sich zu ordnen und durch Musik, Kunst oder das Schreiben die Wahrheit zu finden. Balzac sagte über den Schriftsteller: »Warum sollte man Figuren erfinden, warum sollte man das Leben anderer leben wollen, wenn man sicher in der Welt ruht?« Und Hemingway schrieb an Scott Fitzgerald einen ganz ähnlichen Satz, nämlich »Du musst erst furchtbar verletzt werden, bevor Du ernsthaft schreiben kannst.«

Aber was Thomas Mann, Balzac und Hemingway nicht sagten, ist, dass es den Künstlern selbst gar nicht hilft, zu schreiben, zu komponieren oder zu malen. Die Unsicherheit löst sich nicht auf. Krumm und schief sind sie in diese Welt gestellt, sie scheitern an sich selbst, und nie werden sie die, die sie sein wollen. Und dann, meist erst sehr spät in unserem Leben, begreifen wir es: Es gibt keine Antworten, es gab sie noch nie.

Bachmann sagte in den *Frankfurter Vorlesungen*, die Aufgabe der Dichtung liege nicht im ästhetischen Selbstzweck, sondern in der Weltveränderung durch eine neue Sprache. Solche Sätze waren notwendig, aber ich halte sie für falsch: Kunst hat keine »Aufgabe«, sie darf es gar nicht, wenn sie frei sein soll. Kunst ist keine Macht, sie kann nur Trost sein. Ich glaube, dass Bachmann das wusste. Sie hat Reden von Hans Werner Henze im Wahlkampf für Willy Brandt redigiert, sie versuchte, das Richtige zu tun. Aber sie berührt uns, wenn sie von den Grundbedingungen der menschlichen Existenz erzählt, von der Einsamkeit, der Verzweiflung, dem Tod. Und dort treffen sich Kiefer und Bachmann. Bei ihm ist es das U-Boot in einem Meer aus bleiernen Sonnenblumen, eine Ruine im Grand Palais in Paris, ein gestrandeter Adler.

»Ich will nichts mehr für mich. Ich will zugrunde gehen«, schreibt Bachmann. Und Kiefer sagt, er verstünde das Paradies nicht.

Man kann verzweifelt sein und trotzdem poetisch.

Acht

Freunde hatten mir angeboten, den Sommer über in ihr Haus in Venetien, in der Nähe von Bassano del Grappa, zu ziehen. Ich könne dort schreiben, und sie wären froh, wenn jemand das Haus bewohnen würde. Das kleine Torhaus am Eingang des Parks sei vermietet, eine Frau wohne seit vier Jahren dort, aber sie würde mich sicher nicht stören.

Ich kenne das Haus auf dem Hügel, eine weiße Villa aus dem 16. Jahrhundert. Andrea Palladio, so wird behauptet, habe sie gebaut, es hängen auch zwei Bauzeichnungen des großen Architekten in einem der Badezimmer, aber in Wirklichkeit ist das alles andere als sicher. Sechs Säulen tragen einen Dreiecksgiebel, im 18. Jahrhundert wurde eine nicht sehr hübsche Freitreppe angebaut und im 19. Jahrhundert ein überladener Brunnen hinter das Haus gesetzt. Heute ist nur noch das »Piano nobile«, das erste Geschoss, bewohnbar, im Keller sind riesige, kaum benutzte Küchenräume und Zimmer für das Personal, das Obergeschoss steht leer. Das Haus ist seit zwölf Generationen im Besitz der Familie, und so sieht es auch aus. Über die Jahrhunderte stellte jede Generation dort ihre Sachen einfach irgendwo ab. Und weil sich noch nie einer der Bewohner für Inneneinrichtung interessiert hatte, blieb alles genau auf diesem Platz stehen. Niemand weiß in einem solchen Haus noch, woher der Eichenschrank mit den quietschenden Türen im Eingang stammt, in dem die Mäntel hängen. Und natürlich repariert kein Mensch diese Türen. Diese alten Häuser sind so grässlich unbequem, dass ihre Bewohner irgendwann anfangen, seltsame Kompromisse zu machen. In der Bibliothek hält man es für eine gute Idee, riesige Heizkörper unter den großen Tisch in der Mitte des Saals zu montieren, weil es dort im Winter immer zu kalt ist. Der Tisch bekommt davon fingerbreite Risse, aber kein Mensch würde ihn je restaurieren, man legt lieber ein paar Bücher und Folianten darauf. In einem Haus mit 150 Zimmern wird das Bad in die allerkleinste schräge Kammer eingebaut, weil nur diese wirklich warm zu bekommen ist – die Folge ist, dass man ausschließlich auf den Knien duschen kann. So etwas findet man in den makellos sanierten Villen der neuen Reichen selbstverständlich nicht. Dort passen alle Möbel perfekt zueinander, in den Badezimmern gibt es Regenduschen, Fußbodenheizung und weiche Handtücher ohne Löcher, die Bäume werden nachts beleuchtet, und in den Küchen wird auf elektrischen Herdplatten und mit Dampfgarer gekocht. Das ist natürlich weitaus bequemer. Aber solche Häuser sehen auch immer ein wenig aus wie die glatte *Rabbit*-Skulptur aus poliertem Edelstahl von Jeff Koons, und niemand ist dort wirklich zuhause. Das Haus meiner Freunde war immer ein Chaos. Bemalte Schränke, angeschlagene Eisentruhen, Bastsessel mit Löchern, ausgestopfte Vögel, Vitrinen mit silbernen Spiegeln, Bürsten und Kämmen, unendlich viele Bücher, Bilder, Vasen und Kerzenleuchter. Die Decke des größten Raumes ist von griechischen und römischen Gottheiten bevölkert, wobei der Maler die leuchtenden Blitze des Zeus und die Brüste der Venus offenbar für das Bedeutendste hielt. Im großen Garten des Hauses stehen Skulpturen aus dem 18. Jahrhundert, fast alle sind schwarz verwittert.

Ich mag dieses Haus, vor 30 Jahren bin ich das erste Mal dort gewesen. Damals hatte ich in Bonn studiert und bin mit einer jungen Frau in ihrem verrosteten VW Käfer nach Bassano gefahren, um den Sommer über dort zu bleiben. Vor unserem Aufbruch nach Italien hatte ich noch um fünf Uhr morgens im milden rheinischen Frühsommer Zeitungen ausgetragen. In der Nacht hatte es geregnet, und es roch in der Stadt nach Flieder und nach den Mülltonnen, die von der Stadtreinigung abgeholt wurden. Um halb sieben hatte ich alle Zeitungen auf der Kennedyallee in die Briefkästen gelegt, ich fuhr mit dem Fahrrad zurück, quer über den nassen Rasen im Hofgarten am gelben Hauptgebäude der Uni vorbei und kaufte in der Bäckerei in meiner Straße warme Brötchen.

In der Wohnung waren nur eine Matratze und ein Küchentisch mit drei Stühlen, die mein Vormieter zurückgelassen hatte, meine Bücher lagen auf dem Boden, und meine Jacken und Hosen hingen über einer wackligen Stange, die alle zwei Wochen zusammenbrach. Es war ein kleines Zimmer mit Holzdielen, hohen Wänden und Stuck an der Decke, das Haus war Anfang des 20. Jahrhunderts gebaut worden und lag in einer engen, immer zugeparkten Straße. Es gab eine schmale Flügeltür zu einem winzigen Balkon, und davor stand eine dunkelgrüne Kastanie. Die Tage damals vergingen ohne Widerstand, nichts fiel mir schwer, und nichts zählte. Ich glaubte, ich sei davongekommen und der dunkelgrüne Park und das Internat und meine Familie lägen hinter mir und seien nicht mehr die Wahrheit. Es schien nun etwas anderes möglich zu werden. Dieses neue Leben gehörte mir: die leuchtenden Morgen des Frühsommers, Kaffee mit ihr unter der Kastanie, die Farbe der Nachmittage ohne Vergangenheit. Nur stimmte es nicht, wir müssen immer bezahlen. Jede unserer Handlungen beruht auf längst schon getroffenen Entscheidungen, wir entkommen uns nicht, ganz gleich, was wir tun. Aber das wusste ich noch nicht in jenem hellblauen Sommer vor 30 Jahren.

Als ich jetzt ankomme, erkenne ich alles gleich wieder. Das Haus verändert sich nicht, die Zeit kann ihm nichts mehr anhaben, nur ich selbst bin älter geworden. Ich ziehe in dasselbe Zimmer wie damals, es sieht noch genauso aus, wie ich es verlassen habe, selbst den Wasserfleck an der Decke gibt es noch.

Ich schreibe jeden Morgen drei Stunden, danach ein Spaziergang am Fluss entlang bis in das Dorf, dort Kaffee und Croissants. Dann wieder zurück, Mittagsschlaf, später noch zwei Stunden Korrekturen. Abends kocht die alte Haushälterin. Sie sagt, sie erinnere sich an mich, aber das ist vermutlich nicht wahr. Wir essen gemeinsam unten in ihrer Küche. Sie erzählt von den Sorgen mit ihren Enkeln und von ihrem verstorbenen Mann und schimpft mit mir, weil ich zu viel rauche und überall die Asche herunterfällt. Nach dem Essen setze ich mich mit einem Kaffee auf die warmen Steinstufen hinter dem Haus und warte, bis ich müde werde und zu Bett gehen kann. Das Schlafzimmer bleibt kühl, auch wenn ich die Fenster öffne. Es riecht nach den Nelken und Magnolien unten im Park, und wenn ich nachts aufwache, höre ich die Glocken der Ziegen und das Rauschen des Flusses. Alle drei oder vier Tage fahre ich nach Bassano del Grappa, kaufe auf der Piazza della Libertà Zigaretten und Zeitungen und bleibe ein oder zwei Stunden im Caffè Centrale. So vergehen die Tage, es ist friedlich, und ich kann gut arbeiten.

Ich wohne seit sechs Wochen in dem Haus und komme gerade aus dem Dorf zurück, als ich Hilferufe aus dem kleinen Torhaus höre. Ich ziehe an der Türglocke, eine Stimme ruft: »Schnell, kommen Sie bitte.« Ich öffne und gehe über einen schmalen Gang zum Wohnraum. Am Fuße der Treppe zum oberen Stock sitzt eine Frau im offenen Bademantel auf dem Boden, auf der Stirn, den Ellenbogen und an ihrer rechten Hand hat sie Schürfwunden. Sie ist offensichtlich die Treppe heruntergefallen.

»Ich glaube, mein Bein ist gebrochen«, sagt sie. »Diese idiotische Treppe, die Stufen sind zu kurz.«

»Ich rufe einen Krankenwagen«, sage ich.

Die Frau riecht nach Alkohol.

Mit dem Handy wähle ich den Notruf, bitte um einen Krankenwagen und erkläre die Situation. Es werde ein paar Minuten dauern, wird mir gesagt.

»Gott sei Dank sind Sie gekommen, ich habe Ihre Schritte gehört. Ich weiß, dass Sie oben im Haus wohnen«, sagt sie. »Ich kann mich nicht mehr bewegen. Mein Handy liegt in der Küche auf dem Tisch. Ich hab's versucht, aber bis dorthin wäre ich so nie gekommen.«

Ich bringe ihr ein Glas Wasser und das Handy aus der Küche. Sie fragt, ob ich Schmerzmittel oben im Haus hätte.

»Ja, aber ich weiß nicht, ob das so eine gute Idee ist. Sie werden sicher gleich vom Notarzt etwas bekommen, und das verträgt sich dann vielleicht nicht mit dem Schmerzmittel. Können Sie es noch ein paar Minuten aushalten?«

»Es tut nur so weh«, sagt sie.

Sie spricht verwaschen, ihre Augen sind glasig.

»Wann ist Ihnen das passiert?«, frage ich.

»Vor einer Dreiviertelstunde. Seien Sie ehrlich, sieht es sehr schlimm aus?«, fragt sie und zeigt auf ihre Stirn.

»Überhaupt nicht«, lüge ich. »Nur ein klein bisschen verschrammt, das wird sicher bald wieder.«

»Das Bein tut weh«, sagt sie noch einmal. Sie klingt wie ein Kind.

»Das glaube ich. Der Krankenwagen ist bestimmt gleich da.«

Sie nickt.

»Ich habe in der Küche zwei Bilder gesehen. Haben Sie die gemalt?«, frage ich, um sie abzulenken.

»Ja, ich habe hinten in der Garage mein Atelier, Sie können es sich ansehen.«

»Gerne. Aber vielleicht erst, wenn Sie wiederhergestellt und zurück sind.«

In diesem Moment hören wir die Sirene der Ambulanz. Ich gehe vor die Tür und sage der Ärztin und den beiden Sanitätern, was ich weiß. Die Ärztin geht ins Haus, und die Sanitäter holen eine Trage aus dem Wagen. Fünfzehn Minuten später fahren sie mit der gestürzten Frau in Richtung Krankenhaus.

Am Abend erzählt mir die Haushälterin, die Nachbarin, die sie nur »Francesca« nennt, komme erst morgen zurück. Sie habe mit ihr im Krankenhaus telefoniert, das Bein sei gebrochen. Sie müsse eine Nacht im Krankenhaus bleiben, morgen werde eine Computertomographie ihres Kopfes gemacht. Francesca sei eine nette Frau, sagt die Haushälterin, aber auch schwierig. Sie sei unglücklich und trinke zu viel.

Ein paar Tage später sitze ich nach dem Abendessen wieder hinter dem Haus auf den Steinstufen. Der Mann, der dieses Haus vor 480 Jahren gebaut hatte, stammte aus den »case vecchie«, den alteingesessenen Häusern Venedigs, wurde wohlhabend durch den Handel mit Afrika und ließ hier einen Sommersitz für seine Familie und sich errichten. Dann starb seine Frau, und er betrat nie wieder dieses Haus. Ich stelle mir vor, wie er auf den Steinstufen saß, auf denen ich jetzt sitze, wie er die gleiche Landschaft sah und den gleichen Fluss hörte. Lorenzo de' Medici war während der Pest in ein solches Sommerhaus gebracht worden, und Giovanni Boccaccios *Decamerone* spielt in einer Villa wie dieser. Was hat sich seit damals verändert? Die Geheimnisse sind verschwunden, es gibt kein Mysterium mehr, keine Rätsel. Die frühen Griechen glaubten, die Seelen der Toten würden über den Fluss Styx gefahren. Man legte den

Toten eine Münze unter die Zunge, um Charon, den Fährmann zum Totenreich, damit zu bezahlen. Solche Mythen lassen sich heute nicht mehr erzählen. In einem Krematorium würde das Silber, das dem Fährmann gehört, aus der Asche des Toten gesiebt, so wird es heute auch mit dem Zahngold gemacht. Von einem modernen Menschen bleiben nur Dioxine, Quecksilber, Antibiotika, Zytostatika und Chrom. Würde der Mann, der hier vor 480 Jahren saß, unsere Geschichten noch verstehen?

Es läutet, und vor der Tür steht die Nachbarin. Ihr rechtes Bein ist eingegipst, sie hat eine Krücke unter dem Arm und ein großes Pflaster quer über der Stirn. Ihr Gesicht ist eingefallen, sie sieht elend aus.

»Hallo«, sagt sie. »Ich hoffe, ich störe Sie nicht.«

Sie hält mit der freien Hand eine Flasche Wein hoch und schüttelt sie.

»Ich wollte mich für die Rettung bedanken«, sagt sie. »Das ist ein sehr guter Wein, glaube ich. Hier aus der Gegend, ein Soave.« Sie riecht wieder nach Alkohol.

»Das ist sehr nett von Ihnen, aber ganz unnötig. Ich habe ja nichts helfen können«, sage ich.

Sie sieht mich mit dem dumpfen Blick der Betrunkenen an, ohne etwas zu sagen.

»Kommen Sie doch bitte rein«, sage ich schließlich, weil mir nichts anderes übrigbleibt.

Wir durchqueren die Haupthalle und gehen in den Garten zu dem großen Eisentisch.

»Haben Sie Gläser?«, fragt sie.

»Setzen Sie sich doch bitte«, sage ich.

Ich gehe zurück ins Haus und hole ein Glas und einen Korkenzieher. Als ich wiederkomme, sitzt sie auf einem der Eisenstühle, das gegipste Bein hat sie auf einen anderen Stuhl gelegt. Ich öffne die Flasche und schenke ihr ein.

»Sie nicht?«, fragt sie.

»Ich trinke keinen Alkohol«, sage ich. »Außerdem wollte ich gerade ins Bett gehen.«

»Warum?«, fragt sie.

»Weil ich müde bin.«

»Nein, warum trinken Sie nicht?«

»Ich mag es einfach nicht«, sage ich.

»Früher mochte ich das auch nicht«, sagt sie.

Ich setze mich zu ihr. Sie schildert mit ihrer kindlichen Stimme ausführlich den Sturz, die Fahrt mit dem Krankenwagen und die Behandlung im Krankenhaus. Das Gehen mit der Krücke sei sehr mühsam, der Gips würde erst in vier Wochen wieder abgenommen, aber die Haushälterin würde ihr helfen und für sie einkaufen. Sie trinkt das Glas in einem Zug und schenkt sich selbst wieder nach, dabei verschüttet sie Wein, er tropft vom Tisch auf die Steinplatten.

»Es geht mir nicht gut«, sagt sie.

»Haben Sie Schmerzen? Es ist auch nicht vernünftig, hier heraufzukommen. Kommen Sie, ich bringe Sie zurück zum Torhaus, wir nehmen den Wagen«, sage ich und stehe auf.

»Nein, nein, keine Schmerzen. Es geht mir nur nicht gut.«

»Das tut mir leid«, sage ich. »Vielleicht ist es besser, wenn Sie sich hinlegen, Sie sollten sich ausruhen.«

»Soll ich Ihnen erzählen, warum ich überhaupt hier in Italien bin?«

»Natürlich, gerne. Aber besser ein anderes Mal. Sie sind erschöpft, und ich bin hundemüde und muss früh aufstehen.«

»Warten Sie bitte. Kommen Sie. Ich erzähle es Ihnen. Es ist hier ja nie jemand da, mit dem ich mal reden kann.«

Ich will ihre Geschichte nicht hören. Sie tut mir leid und ist betrunken, und meistens bereuen die Menschen am nächsten Tag, was sie in diesem Zustand einem Fremden erzählen. Aber es ist eine dieser Situationen, aus denen man einfach nicht herauskommt, ohne unhöflich zu sein.

»Ich habe früher in Altwohld gewohnt«, sagt sie. »Das liegt in Norddeutschland, in der Nähe von Hamburg. Es ist ein kleines Dorf mit einer Kirche in der Mitte. Wir hatten dort ein schönes Haus. Mein Mann, Alexander, war Tierarzt.«

Sie hatten sich in Gießen kennengelernt, damals war Alexander Student gewesen. Franziska war vier Jahre älter als er und arbeitete im Sekretariat der Dekanin. Alexander kam jeden Tag zu ihr ins Büro, obwohl er dort nichts zu tun hatte. Anfangs fand sie ihn uninteressant und ein wenig aufdringlich, aber er war höflich und brachte sie zum Lachen. Irgendwann beeindruckte sie seine Ausdauer, und nach und nach freundeten sie sich an. Als sie zusammenzogen, kannten sie sich bereits drei Jahre. Die beiden waren ein auffälliges Paar. Alexander war klein, dick und hatte bereits eine Halbglatze. Die meisten Menschen mochten ihn sofort, er hatte ein freundliches, offenes Gesicht und eine wache Intelligenz. Im Gymnasium war er Schulsprecher gewesen, und eine Zeitlang hatte er Geld damit verdient, Partys zu organisieren. Franziska war einen Kopf größer als er. Viele Studenten versuchten, mit ihr auszugehen, aber sie ging nie darauf ein. Sie hatte vor Alexander nur eine andere Beziehung gehabt. Sie wolle nie wieder so leiden wie unter diesem Mann, sagte sie Alexander, lieber bleibe sie alleine. Als sie das erste Mal mit Alexander schlief, dachte sie, das gehöre nun einmal dazu, wenn man mit einem Mann zusammen sei. »Das Körperliche«, wie sie es nannte, war ihr peinlich und unangenehm. Einmal sagte sie Alexander, alle menschlichen Körperflüssigkeiten fände sie abstoßend.

Sie heirateten, als Alexander die Approbation als Tierarzt bekam. Die Praxis in einer Kleinstadt, 80 Kilometer von Hamburg entfernt, fanden sie über eine Annonce in einem Internetportal. Es war eine alteingesessene Rinderpraxis, etwa 100 Betriebe für Milchvieh hatte der frühere Tierarzt dort betreut. Die örtliche Sparkasse gab Alexander und Franziska einen Kredit, sie konnten ihn vor der Zeit zurückzahlen. Alexander wurde schnell bei den Landwirten in der Umgebung beliebt. Er behandelte Euterentzündungen, Verdauungsstörungen und Labmagenverlagerungen. Er war zuverlässig und fleißig, und er hatte ein außergewöhnliches Gespür für die Tiere. Seine Diagnosen trafen fast immer zu, er brachte die Kälber geschickt auf die Welt, und er war einfühlsam, wenn alte und kranke Tiere eingeschläfert werden mussten.

Franziska modernisierte die Praxis, sie erledigte die Buchhaltung und kümmerte sich um das Sekretariat. Nach einigen Jahren konnten sie sich ein Haus in Altwohld kaufen, einem Dorf mit 200 Einwohnern. Sie fuhren jetzt jeden Morgen über das Land zur Praxis. Franziska begann einen Fernkurs, um malen zu lernen, und machte rasch Fortschritte. Sie malte Blumen- und Landschaftsaquarelle. Jedes Jahr organisierte sie eine kleine Ausstellung im Pfarrhaus in Altwohld, ihre Bilder hängte sie auch in Alexanders Praxis.

In den Ferien fuhren sie manchmal für zwei

Wochen nach Südfrankreich in das Haus einer Tante Alexanders, im Winter blieben sie zu Hause. Sie wollten Kinder, sie versuchten alles, auch die teuren Methoden einer künstlichen Befruchtung, die ihr sehr unangenehm waren. Als sie nach drei Jahren immer noch nicht schwanger wurde, stellten sie einen Antrag auf Adoption eines Kindes. Seitdem warteten sie.

Sie kamen gut miteinander aus. Wenn Franziska in diesen Jahren manchmal nachts aufwachte und ihren schlafenden Mann im Bett neben sich ansah, dachte sie, dass er ein guter Mann sei, erwachsen und verständnisvoll, und dass ihre Wahl richtig gewesen war. Sie deckte ihn zu, küsste ihn auf die Stirn und schlief mit dem Gedanken ein, das Leben sei ihr geglückt.

Sie wohnten seit sechs Jahren in Altwohld, als in zahlreiche Häuser in den umliegenden Dörfern eingebrochen wurde. Die Polizei sprach von einer rumänischen Diebesbande und warnte die Bevölkerung über das Radio. Franziska fuhr zur Polizeistation in der Kleinstadt und ließ sich ausführlich erklären, wie sie sich vor einem Einbruch schützen könne. Die Polizistin gab ihr eine Broschüre mit dem Titel *Sicher wohnen*. Franziska las den Text sorgfältig und beauftragte dann einen Schlosser, in die Vorder- und Gartentür neue Profilzylinder und Schutzbeschläge einzubauen. Die Fenster im Erdgeschoss ließ sie vergittern. Ein Elektriker installierte eine Alarmanlage und eine Kamera, sie konnte nun den Eingang ihres Hauses beobachten, das System meldete jede Bewegung auf ihrem Handy. Das Haus stünde den ganzen Tag leer, wenn sie in die Praxis führen, sagte sie zu Alexander, es sei dann ungeschützt und »leichte Beute«.

»Weißt Du, die meisten Einbrüche passieren am Tag«, sagte sie. »Das steht so in der Broschüre, und die Polizistin hat das auch gesagt.« Alexander hielt das alles für übertrieben, aber er kannte seine Frau und widersprach nicht.

Das zweite beunruhigende Geschehen in diesem Jahr war der Exhibitionist. Franziska las in der Lokalzeitung, dass in der Gegend ein Mann sich vor jungen Frauen die Hose herunterziehen, ihnen seinen erigierten Penis zeigen und später im Gebüsch onanieren würde. Franziska war so aufgeregt, dass sie Alexander, der gerade zu einem Bauernhof unterwegs war, auf dem Handy anrief. Am Abend versuchte er, sie zu beruhigen. Solche Männer, sagte er, handelten aus einem Zwang, aber sie seien fast immer harmlos und würden nicht zur Gewalt neigen. Nein, das sei abstoßend, wiederholte sie immer wieder. Sie verstand nicht, warum Alexander diese widerwärtigen Menschen verharmloste.

Alexander suchte in der kleinen medizinischen Bibliothek, die er sich noch im Studium zusammengestellt hatte, die »ICD-10«, die zehnte Version der *Internationalen statistischen Klassifikation der Krankheiten und verwandter Gesundheitsprobleme*, also den Diagnoseschlüssel der Weltgesundheitsorganisation. Er las ihr den ICD-Code F65.2 für *Exhibitionismus* als einer Spielart der »Störungen der Sexualpräferenz« vor: »Die wiederkehrende oder anhaltende Neigung, die eigenen Genitalien vor meist gegengeschlechtlichen Fremden in der Öffentlichkeit zu entblößen, ohne zu einem näheren Kontakt aufzufordern oder diesen zu wünschen. Meist wird das Zeigen von sexueller Erregung begleitet, und im Allgemeinen kommt es zu nachfolgender Masturbation.«

Unsinn, das sei keine »Störung der Sexualpräferenz«, sagte sie. Solche Männer könnten etwas dagegen tun, wenn sie es nur ernsthaft wollten. Sie könnten sich dieses grässliche Zeug doch selbst verbieten.

»Du liest doch so gerne Stefan Zweig, Liebling«, sagte Alexander.

»Was hat das denn damit zu tun?«

»Nun, auch Stefan Zweig war ein Exhibitionist.«

»Was?«

»Doch, ja, Stefan Zweig war Exhibitionist. Er beschrieb es in seinen Tagebüchern. Er hatte sogar einen Begriff für seine Neigung erfunden: ›Schauprangertum‹.«

»Das glaube ich nicht. Du spinnst. Wie kannst Du die nur verteidigen.«

»Ich sage nur, dass Exhibitionisten eine Störung haben und harmlos sind.«

»Harmlos? Denk doch einmal an die jungen Frauen. So schlimm ist das. Ich kann Dich nicht verstehen«, sagte sie.

Franziska hatte tatsächlich Stefan Zweig immer gerne gelesen, die *Schachnovelle* war eines ihrer Lieblingsbücher. Aber am nächsten Morgen, noch bevor Alexander und sie in die Praxis fuhren, nahm sie alle Bücher von Stefan Zweig und warf sie voller Ekel in die Papiertonne.

In den kommenden Tagen las sie jeden Artikel über den Exhibitionisten in den beiden regionalen Zeitungen, sie hörte sich die Berichte im Lokalradio an und ging sogar zur Polizeistation, um Neues zu erfahren. Die Behörden konnten den Exhibitionisten nicht fassen, er tauchte ebenso überraschend auf, wie er wieder verschwand. Es wurde ein Phantombild des Täters veröffentlicht, gefertigt nach den Beschreibungen der jungen Opfer. Darauf war er klein und dick, er trug einen grauen Lodenmantel und einen grauen Filzhut, und er sei wohl Deutscher, weil er akzentfrei zwei Mal gesagt habe: »Seht her, Mädchen.« Mehr wusste man nicht.

Als Franziska begann, mit dem Wagen herumzufahren und nach Männern zu suchen, auf die diese Beschreibung zutraf, wurde es Alexander zu viel. Sie stritten sich seit vielen Jahren das erste Mal so heftig, dass er seine Bettdecke aus dem Schlafzimmer holte und auf dem Sofa übernachtete. Am nächsten Morgen hatten sie sich wieder beruhigt, sie umgingen das Thema beim Frühstück und sprachen auch in den folgenden Tagen nicht mehr davon.

Zwei Wochen nach dem Streit wachte Franziska eine halbe Stunde vor Alexander auf. Sie putzte sich die Zähne, ging in die Küche, machte Kaffee und deckte den Frühstückstisch. Dann nahm sie ihr Handy, um auf der Wetter-App nachzusehen, wie der Tag würde. Es wurde eine Meldung des Sicherheitssystems angezeigt, sie hatte vergessen, die Kamera im Eingang auszuschalten. Sie sah sich den 30-Sekunden-Film an. Alexander war zu erkennen, er war um 5:36 Uhr nach Hause gekommen. Das war nichts Außergewöhnliches, manchmal rief ein Bauer nachts wegen eines Notfalls an, und Alexander musste los. Aber dieses Mal war etwas anders. Franziska begann zu zittern. Sie suchte in der Schublade des Esstisches das Phantombild und strich es auf dem Tisch glatt. Dann legte sie ihr Handy daneben. Sie erschrak so sehr, dass sie sich mit dem Handrücken auf den Mund schlug. Sie beugte sich über den Tisch. Jedes Detail stimmte überein, der Filzhut, der Lodenmantel, die Hosen, die Schuhe. Es war Alexander auf dem Phantombild, kein Zweifel. Sie starrte die beiden Bilder minutenlang an. Dann schaltete sie das Handy aus und legte die Phantomzeichnung zurück in die Schublade. Alles ergab jetzt einen Sinn, sein Verständnis für die »Störung«, seine Erklärungen, seine Verteidigung der Täter. Natürlich war Alexander harmlos, er konnte niemandem etwas zuleide tun, aber es war ein Abgrund. Sie ekelte sich vor ihm, stürzte ins Bad und übergab sich. Dann putzte sie sich erneut die Zähne, diesmal sehr langsam. Irgendwie musste sie das Frühstück mit ihm überstehen. Sie brauchte Zeit, um in Ruhe über alles nachzudenken. Sie ging zurück in die Küche, setzte sich an den Tisch und starrte aus dem Fenster, während sie oben im Bad Alexander hörte.

Als er herunterkam, ging sie wieder ins Bad. Sie setzte sich auf den Rand der Wanne und wartete. Erst kurz bevor sie losfahren mussten, kam sie in die Küche. Auf seine Fragen antwortete sie ausweichend, sie räumte nur schnell das Geschirr weg.

Sie gingen zum Wagen, Alexander schloss das Haus ab. Es waren die letzten Tage des Winters, sie fröstelte, im Wagen drehte sie die Heizung hoch. Sie konnte immer noch nicht sprechen.

»Was ist mit Dir, nun sag schon endlich«, sagte er.

Sie fuhren den gleichen Weg wie jeden Morgen. Er fragte sie noch zwei Mal, immer etwas drängender, aber sie konnte nicht antworten. Ihr Leben war zusammengebrochen. Sie stellte sich vor, was nun passieren würde: Alexander würde verhaftet und müsste ins Gefängnis oder, schlimmer noch, in eine psychiatrische Anstalt. Vermutlich werden solche Leute weggesperrt, dachte sie. Die Mädchen werden in dem Prozess gegen ihn aussagen, über seine widerwärtigen Neigungen wird öffentlich diskutiert werden. Vielleicht wird sie selbst vor Gericht erscheinen und Auskunft über Alexanders sexuelle Vorlieben geben müssen. Natürlich wird er seine Zulassung als Tierarzt verlieren, die Praxis wird geschlossen werden, die Leute werden sie auf der Straße ansprechen. Sie ist sich sicher, dass sie diese Schande nicht ertragen kann. Ja, sie hätte immer zu ihm gehalten, bei allem anderen, das hatte sie in der Kirche geschworen. Selbst wenn er fremdgegangen wäre, hätte sie ihm das verzeihen können. Aber jetzt? Diese ekelhafte Sache hier? Es wird nicht anders gehen: Trennung, Scheidung. Es ist seine Schuld, sie kann ihm da nicht beistehen, wirklich nicht. Sie wird ihren Mädchennamen wieder annehmen und zurück nach Gießen gehen, vielleicht bekommt sie ja die alte Stelle an der Uni wieder. Sie hat sich immer gut mit der Dekanin verstanden, noch heute schicken sie sich Karten an Weihnachten …

»So, jetzt reicht es. Was ist denn?«, fragte Alexander.

Sie musste es ihm sagen. Jetzt.

»Ich weiß, dass Du der Exhibitionist bist. Ich will die Scheidung.«

Später versuchte sie, sich wieder und wieder zu erinnern, was nach diesen Sätzen passierte. Sie weiß noch: Alexander drehte den Kopf zu ihr. Er öffnete den Mund. Sie sah jede Einzelheit seines Gesichts wie unter einem Vergrößerungsglas und wie in Zeitlupe: den kleinen Leberfleck auf der Spitze seines Kinns, seine aufgerissenen blaugrauen Augen, die Grübchen in seinen Wangen, den Kragen seines Hemdes, den sie vor zwei Tagen gebügelt hatte. Er hatte noch einen Brotkrümel in seinem Mundwinkel. In ihrer Erinnerung ist kein Laut zu hören, kein Fahrtwind, kein Motor. Das ist alles, was sie noch weiß.

Der Wagen fuhr mit leicht überhöhter Geschwindigkeit in einer Rechtskurve frontal gegen eine Linde am gegenüberliegenden Straßenrand. Es gab keine Bremsspuren, der Wagen war einfach weiter geradeaus gefahren. Alexander war nicht angeschnallt gewesen. Vor Jahren hatte er sich für 3,99 Euro einen kleinen Plastikbügel gekauft, den er dauerhaft im Gurtschloss stecken ließ, um das Alarmsignal abzuschalten. Sein Schädel prallte auf das Lenkrad, die Vorderzähne wurden ausgeschlagen, Schädelbasis und Halswirbelsäule verschoben sich gegeneinander und wurden getrennt. Vier Rippen, das Brustbein, der Gesichtsknochen, die Kniescheiben und Oberschenkel brachen, das linke Ohr wurde von einem Metallstück zerquetscht, Bänder und Gefäße an den Knien rissen ab, das Becken wurde aus der Gelenkpfanne geschoben. Wenn ein menschlicher Körper, der sich mit hoher Geschwindigkeit bewegt, abrupt gestoppt wird, bleibt das Herz durch das Bindegewebe an seinem Ort, die Aorta aber bewegt sich weiter und reißt. Das Gleiche gilt für andere Organe.

Franziska brach sich zwei Rippen und erlitt ein Schädel-Hirn-Trauma dritten Grades.

»Und dann?«, frage ich.

»Vier Tage nach Alexanders Beerdigung«, sagt sie, »wurde, ganz in der Nähe der Tierarztpraxis, der Exhibitionist festgenommen.«

Neun

Der schwedische Schriftsteller Lars Gustafsson will dem Publikum einen vollkommen sinnlosen Satz nennen. Er sagt: »Im gesamten Raum war ein kugelförmiger Duft wahrzunehmen, und gleichzeitig war ein leicht grau gefärbtes Geräusch zu hören.«

Ich kann mir das Ganze sofort vorstellen.

Zehn

Am Flughafen in Zürich nehme ich den Zug und steige am Hauptbahnhof aus. Ich bin taub und müde. Ich gehe über die Bahnhofstraße und dann den Rennweg hoch zum Hotel. Es hat angefangen zu schneien, der Schnee liegt auf dem Bürgersteig und den Bäumen und der blau-weißen Straßenbahn. Ich habe schon lange keinen Schnee mehr gesehen.

Damals, die nächtliche Fahrt mit ihr über den Gotthardpass nach Italien, die alte Tremolastraße mit den Pflastersteinen. Wir hielten am Hospiz, der See lag im Nebel. Sie stieg aus und kaufte Kaffee in Pappbechern. Sie trug meinen Schal, weil sie ihren vergessen hatte, und als sie zurückkam, lag Schnee auf ihrem Mantel und auf ihren Haaren.

Im Hotel dusche ich lange. Dann bestelle ich Brot und Käse auf das Zimmer, öffne den Laptop und sehe die E-Mails durch. Ich versuche, mich zu konzentrieren, aber die Texte verschwimmen vor den Augen. Auf dem Balkon rauche ich eine letzte

Zigarette. Das Geläut der Kirche St. Peter oben am Rennweg, es klingt wie die Basilika damals.

Sie zündete dort Kerzen an, für ihren toten Vater, für meinen toten Vater und für uns. Dann kniete sie zwischen den Bänken, die nackten Ellenbogen auf das dunkle Holz gestützt. Es spielte keine Rolle, ob ein Gott sie hörte. Nach einer halben Stunde gingen wir. Jeder Schritt hallte auf dem Steinboden, alles hier war karg und klar. Ich zog die schwere Holztür auf. Draußen war es warm, die ausgetretenen Stufen vor der Kirche, die Farben des Nachmittags: sienagelb, orange, hellgrün, leuchtend. Sie setzte ihre schwarze Sonnenbrille auf, ihr abgezirkelter Schatten auf den Steinen. Eine alte Frau ging an uns vorbei in die Kirche, sie schimpfte leise vor sich hin und starrte uns wirr an.

Auf dem Markt kauften wir Obst, Brot und zwei Flaschen Wasser, gingen damit zurück in das winzige Hotel. Wir aßen auf dem Bett, weil es keinen Tisch in dem Zimmer gab. Später lagen wir auf dem dünnen Laken voller Brotkrumen und schliefen ein. Als ich aufwachte, war es dunkel. Sie tippte etwas auf ihrem Handy, sah mich, zündete mir eine Zigarette an, den Aschenbecher stellte sie auf meine Brust. Wir flüsterten, das taten wir immer, wenn wir alleine waren. Sie erzählte von ihren Kämpfen als junge Frau, von den Männern, die ihr fremd waren, und davon, dass sie immer geglaubt habe, nicht zu genügen. Vor einigen Jahren sei sie in Afrika gewesen, sagte sie, in einem Camp im Kruger-Nationalpark. (Mit wem war sie dort? Hat sie damals einen anderen Mann geliebt? Wer war sie, als sie mit ihm zusammen war? Wie hatte sie ihm gehört?) Sie seien sehr früh morgens mit einem Jeep losgefahren, sagte sie. Als es hell wurde, hätten sie gesehen, wie, nur ein paar Meter vom Wagen entfernt, Löwen eine Antilope gerissen hätten. Der Fahrer sei stehengeblieben, und sie hätten zugesehen, wie die Löwen das Fleisch aus der Antilope herausrissen, die noch lebte. Die Löwen seien blutverschmiert gewesen, sie hätten nach Blut gestunken, und ihr sei schlecht geworden. Sie sah mich an. »Du wirst mich verletzen«, sagte sie. Dann legte sie sich zurück. »Ich weiß immer noch nicht, wer Du bist. Erzähle mir etwas.«

Habe ich ihr damals von der Zeit erzählt, als ich fünfzehn Jahre alt war? Im Iran wurde der Schah gestürzt, Margaret Thatcher gewann die Wahl zur englischen Premierministerin, und Elton John gab das erste Konzert in der Sowjetunion.

In diesem langen, heißen Sommer lag ich auf der Klostermauer, die mein Internat umgab, und habe gelesen. Ich war Tancredi in Tomasi di Lampedusas Roman *Der Leopard* und reiste in der Hitze Siziliens zu dem Sommersitz Donnafugata. Und ich wurde Charles Ryder in Evelyn Waughs *Wiedersehen mit Brideshead* und fuhr mit Sebastian Flyte und seinem Teddy in einem offenen Wagen durch Oxford.

In Thomas Manns *Buddenbrooks* zieht der junge Hanno in der Familienchronik unter seinen Namen einen »schönen, sauberen Doppelstrich quer über das ganze Blatt«. Und das war auch meine Idee. Ich war nicht der Sohn aus gutem Haus, weil es kein gutes Haus mehr war und ich niemandem gehörte und ein ganz anderes Leben wollte.

Damals wollte ich nur schreiben, ich konnte mir nichts anderes vorstellen. Ich erinnere mich an die Texte, an Geschichten über die Langsamkeit, an Gedichte, die niemandem galten, und an seltsame Theaterstücke, in denen Farben die Hauptrollen spielten. Ich glaubte damals, ich könnte immer auf dieser Mauer im Halbschatten der hohen Platanen liegen, und ich könnte immer weiterlesen und immer weiterschreiben, und ich würde für mich sein, weil nach diesem Doppelstrich eben nichts mehr kam.

Das Internat ging mich nichts an, die Frühmessen, die seltsamen Worte des Paters im harten Morgenlicht: »Nehmet und esset alle davon: Das ist mein Leib … nehmet und trinket alle daraus: Das ist mein Blut …« Was ist das für eine Welt, in der sich die Menschen von ihren Göttern ernähren?

Ein halbes Jahr später starb mein Vater, und das veränderte alles. »Nur das Leid ist ernsthaft, der Tod ist es nicht«, sagte mein Onkel. Damals war ich zu jung, um diesen Satz zu verstehen.

Ich kannte meinen Vater nur strahlend, elegant und unbesiegbar, aber in Wirklichkeit war er ganz ohne Halt. Die Scheidung von meiner Mutter brach ihm das Genick, er wurde zum Trinker, immer noch hochbegabt, aber jetzt verwahrlost und elend. Sein engster Freund hat mir später erzählt, er habe den Vater kurz vor dessen Ende gebeten, ihm Frackknöpfe zu leihen, er müsse auf einen Empfang und habe seine vergessen. Der Vater habe ihm am Telefon nur geantwortet: »Meine Zeit der Frackknöpfe ist vorbei.« Er starb am gleichen Tag, an dem meine Mutter ihren Geburtstag feierte, und ich konnte nicht mehr schreiben, weil ich nicht werden wollte, was er war. Meine Angst vor dem Scheitern, dem Ungeordneten, dem Verfall und der Haltlosigkeit. Deshalb studierte ich Jura und wurde Rechtsanwalt, ein bürgerliches Leben würde Halt geben, ich wäre sicher, glaubte ich. Erst viel später, erst nach einem halben Leben, begann ich wieder zu schreiben. Und dann, ganz allmählich, bekamen die Dinge ihr wahres Gewicht.

Das Fenster zur Straße stand offen, die Stimmen aus dem Café unten, der laute Fernseher im Nachbarzimmer, daran erinnere ich mich. Und daran, dass sie gesagt hatte, der gemeinsame Schlaf sei durch nichts zu ersetzen.

Ich rauche weiter auf dem Balkon in dem Hotel in Zürich. Es schneit immer noch, der Himmel ist dunkelgrau, und die Straßen leuchten weiß.

Elf

Im November 1953, zwei Jahre vor seinem Tod, liest Thomas Mann in einem Buch eines Schweizer Germanisten einen kritischen Artikel über sein Werk. Er, der Nobelpreisträger, dessen Bücher in alle Weltsprachen übersetzt wurden, der mit dem amerikanischen Präsidenten frühstückte und vom Papst empfangen wurde, schreibt daraufhin in seinem Tagebuch: »Niederträchtiger Abschnitt über mich. Übelkeit durch die Schimpfierung.« Und dann: »Müde vom Ekel, meine furchtbare Empfindlichkeit gegen kritische Schändungen meines Lebens.«

Wenig später schreibt eine Zeitung über ihn: »Es ist das erstaunlichste Leben dieses Jahrhunderts, jenem Goethes vergleichbar.« Thomas Mann fügt in seinem Tagebuch an: »Fiel mir auch schon auf.«

Zwölf

Lesung in Wien, danach eine Einladung, die Dame ist über 90 Jahre alt. Sie war eine der bekanntesten Theaterschauspielerinnen ihrer Zeit, hatte einen Fabrikanten geheiratet und lebt jetzt alleine in einem riesigen Haus im zweiten Bezirk.

Ich klingle, ein etwa 30-jähriger Mann öffnet. Er sei ein Angestellter der alten Dame, sagt er und bringt mich in den ersten Stock. Ich warte in einem Salon. Auf dem Tischchen vor dem Sofa stehen Tee, Kaffee und Gebäck. Ich sehe mir die Fotos auf dem Kaminsims an. Ihr verstorbener Mann (Foto in schwarzem Rahmen mit Trauerflor), Kinder, Enkel. Theaterfotos, Premierenfeiern, ein Empfang mit dem Bundespräsidenten. Ganz hinten steht ein grobkörniges Schwarzweißfoto, ein kleines Bauernhaus oder eine Hochalm, im Hintergrund Berge, alles etwas unscharf.

»Mein Elternhaus«, sagt die alte Dame, die plötzlich neben mir steht, »oben in der Steiermark.«

Sie setzt sich auf das Sofa.

»Es war ein langer Weg«, sagt sie. »Mein Urgroßvater war Soldat im Krieg 1871, mein Großvater war Soldat im Ersten Weltkrieg, mein Vater im Zweiten Weltkrieg. Keiner von ihnen hat je vom Krieg gesprochen. Nur einmal, nur mein Großvater. Er sagte: ›Wir waren so lange im Schlamm, bis wir zu Schlamm wurden.‹ Jetzt haben wir seit 70 Jahren Frieden. Ihre Generation beschäftigt sich damit, welche Möbel zur Einrichtung passen und wohin man in die Ferien fährt. Aber ich glaube nicht, dass Sie glücklicher sind, als wir es waren. Woran liegt das?«

Sie erzählt von ihrer Zeit am Theater, von den Premieren, dem Leben in Wien und ihren Freunden, von denen die meisten inzwischen tot sind. Die alte Dame ist etwas verwirrt, sie verwechselt Daten und Ereignisse: »Als der Krieg 1952 zu Ende ging …«, sagt sie. Der junge Mann steht die ganze Zeit schräg hinter ihr. Er korrigiert sie sanft: »Das Kriegsende könnte vielleicht doch schon 1945 gewesen sein«, sagt er. Seine Stimme ist leise und freundlich. Die beiden sind eine Einheit, eine vollkommene Symbiose. Die alte Dame dreht sich bei jeder Korrektur um und nickt dem jungen Mann freundlich zu. »Es war ein langer Weg«, sagt sie noch einmal, der junge Mann schweigt. Ich bitte sie, mir mehr von sich zu erzählen.

Sie sei die Tochter eines Kleinbauern aus der Steiermark, sagt sie. Kurz nach dem Krieg hätten ihre

Eltern sie nach Wien geschickt, sie sollte Hausmädchen in einer großbürgerlichen Familie werden, der Bauernhof habe nur ihren älteren Bruder ernähren können.

Sie nahm den Zug, nur ein kleiner Koffer, wenig Geld für die ersten Tage. Vor dem Bahnhof in Wien wurde sie von einem Auto angefahren, brach sich beide Handgelenke und wurde in das Krankenhaus der »Barmherzigen Brüder« gebracht, das älteste Ordensspital Wiens. Ihr Arzt war jung, streng und distanziert, und er schien alles zu wissen. Er legte die Hand auf ihre Stirn und prüfte ihren Herzschlag, das Stethoskop war kalt. Seine Stimme beruhigte sie. Noch nie hatte sie bei einem Mann solche Hände gesehen, schmal, blass und warm. Nachts träumte sie von diesen Händen.

Er blieb länger an ihrem Bett als bei anderen Patienten. Irgendwann nahm sie ihren Mut zusammen und fragte ihn, ob sie im Spital arbeiten könne, sie würde alles tun. Für ihn tun, fügte sie nach einer Pause hinzu. Er lächelte spöttisch. Dann nickte er.

Sie begann eine Ausbildung als Krankenschwester. Zuerst trafen sie sich in ihrem winzigen Zimmer unter dem Dach des Spitals, nach vier Wochen nahm er sie in seine Wohnung mit. Die Möbel waren aus Teak und Bast, an den holzgetäfelten Wänden hingen zwei Bilder von Klimt, erotische Zeichnungen von Schiele, mitten im Salon stand die lebensgroße Plastik einer schlafenden Frau.

Er war ihr erster Mann – die beiden Bauernjungen in der Steiermark zählte sie nicht. Wenn er am Nachmittag das Krankenhaus verließ, trug er seidene Halstücher und Handschuhe aus Ziegenleder. Sie war stolz, wenn sie ihn so sah. Abends ging er mit ihr ins Theater und in die Oper, er zeigte ihr die Museen, Restaurants und Tanzlokale der Stadt. Sie wurde rot, wenn sie an die Dinge dachte, die er von ihr verlangte und die sie für ihn tat.

Sie wusste, dass er in ihren Körper verliebt war, einmal hatte er ihr das gesagt. Sie strengte sich für ihn an, las die Bücher, die er ihr gab, zog die Kleider an, die er für sie aussuchte, und beobachtete im Kaffeehaus die Frauen, die er ansah. Oft war er ungeduldig mit ihr, er korrigierte ihre Tischmanieren, ihre Sprache, die Art, wie sie ihr Haar trug. Er wurde nie laut, das machte die Sache noch schlimmer. Fast jede Nacht kniete sie in seiner Küche und betete zur Jungfrau Maria, dass er sie fragen würde, ob sie seine Frau werden wolle. Er hatte gesagt, er sei Junggeselle und wolle das bleiben, er interessiere sich nicht für die Ehe, das sei einfach nichts für ihn.

Nach zwei Jahren wurde er krank. Er hatte sich bei einem Patienten angesteckt. Er diagnostizierte die Krankheit selbst: Tuberkulose. Sie saß an seinem Bett, fütterte ihn mit Hühnersuppe und kühlte seine Stirn. Nachts wechselte sie die Laken und Decken, wenn er nassgeschwitzt aufwachte. Er stand dann in seinem Pyjama neben dem Bett und sah ihr regungslos zu. In einem Fotoalbum hatte sie ein Bild von ihm gefunden, er war sechs oder sieben Jahre alt gewesen, den Bauch hatte er vorgestreckt. Sie liebte dieses Foto, der kleine Junge in dem Mann, der mit ihr schlief.

Vier Wochen später konnte er aufstehen, wacklig, aber sie gingen Arm in Arm ein paar Schritte durch den Park vor seiner Wohnung. Die Krankheit hatte ihn verändert. Das Herrische war verschwunden, er war ruhiger geworden, langsamer, sanfter. Er kritisierte sie nicht mehr. Manchmal fragte er sie jetzt um Rat.

Zwei Jahre später an einem Wochenende – er arbeitete längst wieder im Spital – fuhr er mit ihr zu einem Bergsee. Sie hatte die Gegend immer gemocht. Sie aßen in einem Gasthof, danach gingen sie spazieren. Sie setzten sich auf eine Parkbank und sahen über den See. Er kniete vor ihr. Aus seiner Jackentasche holte er ein Schmuckkästchen und klappte es auf.

»Willst Du meine Frau werden?«, sagte er.

Er sah sie von unten an, seine schönen, für einen Mann zu langen Wimpern, seine hellblauen Augen. Er war unsicher, das sah sie jetzt, seine Augen waren feucht, sein Mund war ein wenig geöffnet. Sie hatte noch nie einen so schönen Ring gesehen, ein in Weißgold gefasster Saphir in der Farbe ihrer Augen. Sie hatte gewonnen, es war der Höhepunkt ihres bisherigen Lebens. Sie strich über seinen Kopf, wie man einem Hund über den Kopf streicht, und sagte: »Nein.«

Dreizehn

Gestern langes Gespräch mit einer polnischen Journalistin. Sie sagt, sie könne längst nicht mehr schreiben, was sie wolle. Es gäbe nicht nur die Zensur durch die Regierung, sondern den vorauseilenden Gehorsam der Zeitungen selbst. Sie wisse nicht, was sie machen solle. Das Erschreckende: Auch in Europa interessiere es kaum jemanden, dass ihr Land ins Dunkle kippe.

Nicht nur in Polen und Ungarn werden die Medien mittlerweile überwiegend von den Regierungen kontrolliert. Der frühere Ministerpräsident der Slowakei, Robert Fico, bezeichnete die Presse als »dreckige, anti-slowakische Prostituierte«, Journalisten seien »schleimige Schlangen« und »Klospinnen«. Der tschechische Präsident Miloš Zeman posierte mit einer Gewehrattrappe, auf die die Worte »Für Journalisten« eingraviert waren. Ungarns Ministerpräsident behauptet laufend, Flüchtlinge brächten Krankheiten und Kriminalität ins Land, und die Europäische Union und George Soros wollten einen »Bevölkerungsaustausch« herbeiführen.

Die Journalistin sagt, das Schlimmste an der Zensur sei, dass man sich wertlos fühle. »Das passiert, wenn Ihre Texte nicht gedruckt werden. Sie fangen irgendwann an zu glauben, nicht nur Ihre Texte seien falsch, sondern Sie selbst seien falsch und nichts wert. Auch das ist natürlich ein Ziel der Zensur.«

Sie hat ein Zimmer in einer kleinen Pension in Charlottenburg. Berlin sei für sie Freiheit, hier könne sie aufatmen, nur 500 Kilometer von Warschau entfernt. Während wir dorthin gehen, sagt sie, sie werde nicht aufgeben. Sie sei sich sicher, dass die Menschen Europa und die Freiheit verteidigen würden, wenn es darauf ankomme. Als wir uns verabschieden, lächelt sie. Ihr Leben, sagt sie, habe Samuel Beckett am besten beschrieben: »Ever tried. Ever failed. No matter. Try again. Fail again. Fail better.«

Vierzehn

Winterspaziergang über den Kurfürstendamm, in dessen Seitenstraßen ich nun schon seit vielen Jahren wohne. Früher standen hier nachts die Prostituierten neben erleuchteten Schaukästen, und wenn es zu kalt wurde, gingen sie in ein Steakrestaurant, wärmten sich auf und aßen eine Suppe. Jetzt sind sie verschwunden, auch die großen Cafés, die Kinos und kleinen Restaurants gibt es nicht mehr. Aber in der Weihnachtszeit werden gelbe Lichterketten in die kahlen Zweige der Platanen gehängt, und wenn es schneit, leuchten die Bürgersteige weiß, und dann gibt es keine Stadt, in der ich lieber wäre. Aber noch brennen die Lichter nicht, es ist nasskalt und grau.

Ich gehe durch den Schneematsch an den Geschäften vorbei und denke an die hellblauen Tage in Los Angeles im Chateau Marmont, an das Zimmer mit dem riesigen Kühlschrank von General Motors aus den 1950er Jahren, an den Schreibtisch unter dem kleinen Fenster und den Sand, den der Wind jede Nacht aus der Wüste brachte und der alles bedeckte.

Das Haus, in dem sie aufwuchs, stand nur ein paar Kilometer entfernt. »Erinnerst Du Dich an das Rot, das man sieht, wenn man mit geschlossenen Augen in die Sonne schaut?«, hatte sie gesagt. »Auf der dritten Stufe unseres Pools war eine Platte gesprungen. Ich blieb im Wasser auf ihr stehen und tastete mit den Zehen immer wieder den Riss ab und schaute dabei so in die Sonne. Und ich denke an meine Angst, dass durch die Ohren und die Nase Wasser in meinen Kopf kommt, wenn ich tauche. Erinnerst Du Dich?«

An der Ecke zur Meinekestraße treffe ich eine Anwältin aus meiner früheren Kanzlei. Ich begleite sie ein Stück zu ihrem Wagen. Sie erzählt von dem Fall, der sie gerade beschäftigt. In einer warmen Sommernacht wollten vier Jugendliche, zwei Männer und zwei Frauen zwischen sechzehn und siebzehn Jahren, auf den Wannsee hinausfahren. Sie stiegen in ein kleines Boot, das den Eltern einer der Frauen gehörte, starteten den Motor und fuhren los. Mitten auf dem See hielten sie an und leerten zusammen eine Flasche Wein. Dann zogen sich drei von ihnen aus und schwammen im See. Einer der Jungen – er sah gut aus, war intelligent und sportlich – war in eine der Frauen verliebt. Sie hatte mit ihm geflirtet, zu mehr war es noch nicht gekommen. Er hörte sie in der Dunkelheit nach ihm rufen. Also zog auch er sich aus und sprang in den

See. Aber er konnte nicht schwimmen. Er schlug um sich, schrie um Hilfe, die anderen hielten es für einen Witz. Als sie merkten, dass es ernst war und der Junge nicht mehr auftauchte, suchten sie nach ihm. Aber es war zu dunkel, er ertrank. Die drei Jugendlichen wurden wegen unterlassener Hilfeleistung angeklagt. Vermutlich würden sie freigesprochen werden, es war ein Unfall.

»Ist das nicht merkwürdig?«, sagt die Anwältin. »Kann man so sehr lieben, dass man vergisst, nicht schwimmen zu können?«

Fünfzehn

Abendessen in Oxford nach einer Lesung. Ein Physiker versucht, mir das neue James-Webb-Teleskop zu erklären, es sei eigentlich eine Zeitmaschine. Es würde die Dinge so sehen, wie sie vor dreizehn Milliarden Jahren aussahen. Er schildert das Projekt wie einen Hollywood-Film, die Techniker, die Ingenieure sind seine Helden. Ihre kaum zu lösenden Schwierigkeiten: Wie können sie das Teleskop so zusammenfalten, dass es in die Rakete passt? Wie bekommen sie später das Sonnensegel tausende Kilometer von der Erde entfernt wieder ausgeklappt?

Nachts lese ich über Edwin Hubble, nach dem das Vorgängerteleskop benannt wurde. Berührend, wie der Mensch mit seinen begrenzten Fähigkeiten über das All nachdenkt. Der Moment, in dem Hubble begreift, dass es nicht nur unsere Milchstraße, sondern 100 Milliarden weitere solcher Galaxien gibt. Wie ging es ihm in der Nacht, in der ihm das klar geworden ist? Er schreibt: »Die Erforschung des Weltraums endet mit Ungewissheiten. Wir messen Schatten.«

»Was war vor dem Urknall?« Solche Fragen sind sinnlos. »Die Grenzen meiner Sprache bedeuten die Grenzen meiner Welt«, sagt Wittgenstein. Es gibt kein »vor« dem Urknall, weil das heißen würde, dass es »Zeit« vor dem Urknall gegeben haben könnte. Aber »Zeit« ist nicht vorhanden, weil Zeit ohne Raum nicht möglich ist. Unsere Sprache kann nur innerhalb des Raumes und innerhalb der Zeit Sinnvolles aussagen. Die Existenz Gottes lässt sich ebenso wenig beweisen wie das Gegenteil. Diese Grenzen beruhigen mich.

Sechzehn

Heute vor vier Jahren: die Beerdigung Meros. Es war ein sehr kalter, sehr grauer Februartag. Ich übersah den verwitterten Wegweiser zum Friedhof Grunewald-Forst und fand den Waldweg nicht gleich. Dann, zwischen Rotbuchen, Birken und Fichten, der Friedhof mit Torbogen, niedriger Mauer und fast kahler Rotbuchenhecke. Am Holztor ein Schild: »Achtung Wildschweingefahr«. Ein Verwaltungshäuschen, bemooste Steinbänke, Gießkannen aus Plastik und weit weg das Rauschen der Straße. Das frisch ausgehobene Grab war winzig und lag im Schatten der Bäume. Ich kam etwas zu spät, wir standen zu dritt dort, der professionelle Grabredner, eine Frau, die ich nicht kannte, und ich.

Einige hundert Meter entfernt macht die Havel eine sanfte Biegung, und dort blieben im 19. und 20. Jahrhundert manchmal Leichen, die auf dem Fluss trieben, in der Böschung hängen. Es waren Menschen, die nicht mehr weiterwussten und »ins Wasser gingen«, wie das damals genannt wurde.

Die Kirche wollte solche »Selbstmörder« nicht auf ihren Friedhöfen, es sei eine Sünde, sich zu töten. Gott habe den Menschen das Leben geschenkt, und deshalb könne nur Gott es auch wieder nehmen, es gehöre ihm. Und weil der Selbstmörder seine Tat nicht mehr bereuen könne, sei es keine verzeihliche Sünde, sondern die furchtbarste überhaupt. Solche Menschen seien für alle Zeiten verloren und dürften nicht in geweihter Erde liegen.

Die Wasserleichen mussten aber irgendwo bestattet werden, und weil die Kirche sich weigerte, blieb das Problem an der Forstverwaltung hängen, zu deren Gebiet das Flussufer gehörte. Man beschloss, die Toten auf dieser Lichtung hier zu begraben. Die Sache sprach sich herum, nach und nach wurden immer mehr Menschen hierhergebracht, die sich selbst getötet hatten. Viele der Grabsteine zwischen den Wacholdersträuchern, Rhododendren und Zypressen tragen keine Namen, auf ihnen steht »Unbekannte Frau« oder »Unbekannter Junge« oder manchmal auch nur »Unbekannte Person«, wenn die Leiche zu lange im Wasser gelegen hatte und das Geschlecht nicht mehr zu identifizieren war oder wenn nur ein Kopf oder ein Bein gefunden wurden. Es gibt Holzkreuze ohne Aufschrift und byzantinische Kreuze mit kyrillischen Namen, Russen, die sich zwischen 1917 und 1918 aus Verzweiflung über den Sieg der Revolution in ihrer Heimat getötet hatten. Und weil die Berliner nicht anders können, haben sie sich auch zu diesem Ort neue Namen ausgedacht: »Selbstmörderfriedhof« und »Friedhof der Namenlosen«.

Der Grabredner zog zwei Schnüre aus der Urne und versenkte an ihnen das Gefäß in die hartgefrorene Erde.

Die Fremde und ich gingen durch das Tor zum Waldweg zurück. Sie war Ende 40, ihr verhärmtes Gesicht hatte einen strengen Zug. Sie trug einen viel zu dünnen Mantel und viel zu elegante Schuhe für diesen Ort und diesen kalten Morgen. Ihre Lippen waren blau, und sie zitterte. Ich stellte mich vor und gab ihr meinen Schal. Sie bedankte sich, wickelte sich den Schal um den Hals und murmelte etwas, was ich nicht verstand. Ich fragte, woher sie Mero kannte. Sie ging jetzt einen Schritt schneller, und ich sah, dass sie weinte, weil ihre Schultern zitterten.

Mein Wagen stand neben einer Bushaltestelle, ich hatte ihn halb in einen Schneebeerenstrauch geparkt, weil es keine andere Möglichkeit gegeben hatte. Ich fragte die Frau, ob ich sie mitnehmen solle, es sei einfach viel zu kalt, um hier auf den Bus zu warten. Sie sah mich kurz an, ihr Make-up war verschmiert, dann nickte sie, und wir stiegen ein.

»Wohin darf ich Sie bringen?«, fragte ich, während es im Wagen allmählich wärmer wurde.

»Ich wohne im Ritz-Carlton am Potsdamer Platz«,

sagte sie. »Sie können mich aber an einem Taxistand herauslassen.«

»Das Hotel liegt auf meiner Strecke, ich bringe Sie hin.«

»Danke«, sagte sie, und dann schwiegen wir wieder.

Wir fuhren zurück in die Stadt, die breite Bismarckstraße hinunter zum Ernst-Reuter-Platz.

»Es hat sich so vieles hier verändert«, sagte sie nach einiger Zeit.

»Wann waren Sie zuletzt in Berlin?«

»Vor 28 Jahren. Sagen Sie, woher kannten Sie Mero?«

»Ich kannte ihn eigentlich kaum«, sagte ich.

Vor zwanzig Jahren wohnte ich in Kreuzberg. Jurek Becker hatte mir dort in Riehmers Hofgarten seine alte Wohnung überlassen, als er nach Steglitz zog. Nicht weit von der Wohnung entfernt war das Kino, das Mero gehört hatte. Ich habe damals sehr viel gearbeitet und kam meistens erst spät aus der Kanzlei. Die letzte Vorstellung im Kino begann um Mitternacht, und ich besuchte sie oft, weil ich nicht schlafen konnte. Fast immer war ich der einzige Besucher. Manchmal saßen Mero und ich noch nach der Vorstellung zusammen, er hatte neben dem Kino auch eine kleine Bar. Wir sprachen dann über die Filme, über Bücher und über sein Leben. Er war ein sehr guter Erzähler. Mero war 1950 geboren, er stammte aus Algerien. Als Kind hatte er im Algerienkrieg sein rechtes Auge durch einen Granatsplitter verloren, später beging er in Frankreich wohl Straftaten und diente dann einige Jahre in der französischen Fremdenlegion. Ende der 70er Jahre war er nach Berlin gekommen. Dort hatte er das Kino und das Haus mit der Bar gekauft, damals waren Immobilien in Berlin sehr billig. Das Kino und die Bar liefen schlecht, irgendwann gab er beides auf, und wir verloren uns aus den Augen, auch weil ich nach Charlottenburg zog.

»Mero war so eine Art Vater für mich«, sagte die Frau. »Ein Ersatzvater. Nein, eigentlich war er das nicht. Ich weiß nicht, was er war. Und warum sind Sie zur Beerdigung gekommen, wenn Sie ihn kaum kannten?«

»Sagen Sie bitte, sind Sie Christiane Kramer?«, fragte ich.

»Ja«, sagte sie. Sie war überrascht und sah mich an. »Woher wissen Sie das?«

»Aus seinem Testament. Er hat Sie als einzige Erbin eingesetzt«, sagte ich. Ich musste auf die Straße achten und konnte nicht sehen, wie sie reagierte.

»Wenn Sie mir Ihre Adresse geben, können wir alles Weitere schriftlich machen.«

Inzwischen waren wir vor dem Hotel angekommen. Sie sagte, sie wolle die Angelegenheit lieber sofort klären. Wir stiegen aus und gingen in die Lobby des Hotels hinter der großen Freitreppe.

Ich erzählte ihr, was geschehen war. Vor drei Wochen hatte ich einen Anruf von einem Notar bekommen, den ich gut kenne. Der Notar habe vor Jahren ein Testament für Mero abgefasst, und Mero habe mich als Testamentsvollstrecker eingesetzt; Mero habe damals gesagt, wie viel ihm daran läge, dass ich das übernehmen würde. Ich hatte den Notar zum Mittagessen getroffen, er hatte mir das Testament gezeigt. Ich nehme so etwas natürlich nie an, ich verstehe nichts von Erbrecht und will nichts mit solchen Verpflichtungen zu tun haben. Aber der Notar hatte gesagt, es ginge zunächst einmal nur darum, die Alleinerbin ausfindig zu machen. Die Nachforschungen würde er, der Notar, übernehmen, ich bräuchte mich um nichts zu kümmern. Im Testament stand, falls sich die Erbin nicht ermitteln ließe, solle alles verkauft und der Erlös einer gemeinnützigen Stiftung übertragen werden. Meine Aufgabe wäre dann lediglich, eine ordentliche Stiftung zu finden. Auch den Verkauf der Immobilie würde der Notar organisieren. Ich hatte gesagt, ich würde es mir überlegen, und deshalb wäre ich auf die Beerdigung gegangen.

»Ich soll Meros Erbin sein?«, fragte sie.

»So steht es in seinem Testament. Er hatte wohl keine weiteren Verwandten.«

»Wie hoch ist die Erbschaft?«

»Ich habe keine Ahnung.«

»So ungefähr?«

»Na ja, ihm gehörten die beiden Häuser, also das Kino, in dem jetzt ein Supermarkt ist, und das Haus mit der Bar und mit fünf großen Etagenwohnungen darüber. In Kreuzberg, so der Notar, sind die Preise in den letzten Jahren enorm gestiegen. Er meinte, die Immobilien seien insgesamt etwa zwischen acht und zehn Millionen wert. Auf Meros Bankkonto war nur wenig Geld, genau weiß ich das aber nicht. Mehr kann ich dazu nicht sagen. Sie müssten mit dem Notar sprechen.«

»Zehn Millionen Euro. Das ist viel Geld«, sagte sie.

»Ja, vermutlich.«

Christiane Kramer sah mich nicht an. Sie zog aus ihrer Handtasche einen Reisepass und legte ihn vor mich auf den Tisch.

»Sie müssen sicher prüfen, ob ich tatsächlich ich bin und keine Betrügerin.«

»Das macht später der Notar oder das Nachlassgericht. Ich habe noch nicht einmal zugesagt, dass ich die Testamentsvollstreckung übernehme. Und jetzt gibt es ja auch gar keinen Grund mehr dafür. Sprechen Sie doch bitte selbst mit dem Notar.«

Ich legte seine Visitenkarte auf den Tisch. Sie nahm sie und sah sie flüchtig an. Etwas irritierte mich an ihr. Sie wirkte kalt, aber gleichzeitig unsicher.

»Ich möchte das Geld nicht«, sagte sie.

»Sie können das Erbe natürlich ausschlagen, wenn Sie das wünschen. Vielleicht überlegen Sie in Ruhe, wem das Geld dann zukommen soll.«

»Kindern«, sagte sie schnell.

»Kindern?«

»Dem SOS-Kinderdorf oder so etwas. Das gibt es doch noch, oder?«

»Ich glaube schon.«

Sie sah zu einem Bild, das hinten in der Lobby hing. Ein dunkles Gemälde von der Oberfläche des Mondes.

»Glauben Sie eigentlich, dass es Gerechtigkeit gibt?«, fragte sie.

»Wie meinen Sie das?«

»Gerechtigkeit. Ausgleichendes Schicksal. Die Bösen werden bestraft, die Guten gewinnen und so weiter.«

»Ich fürchte, das ist ein Kinderglaube.«

»Stimmt«, sagte sie. »Und trotzdem. Ich habe Mero alles zu verdanken.«

»Er war ein freundlicher Mann«, sagte ich.

»Nein, er war kein freundlicher Mann.«

Die Mutter von Christiane Kramer war drogensüchtig gewesen, ihr Vater unbekannt, mit zwei Jahren kam sie in ein Heim. Als sie zehn war, wurde sie von zwei Jungen vergewaltigt, einer war fünfzehn, der andere sechzehn. Mit dreizehn Jahren hatte sie bereits unzählige Einbrüche begangen, Drogen transportiert und einen Mann sterben sehen. In einem Jahr würde sie strafmündig werden, die Richter würden sie erst ein paar Mal verwarnen, dann Bewährungsstrafen verhängen und sie schließlich ins Jugendgefängnis stecken. Sie würde eine sogenannte Drehtürgefangene werden, wie das in der Strafjustiz heißt: Haft, Entlassung, Straftat, wieder Haft und so weiter, ein ganzes Leben lang. Ihre Zukunft schien vorherbestimmt. Aber dann lernte sie Mero, den Kinobesitzer, kennen.

Es war das letzte Kino in diesem Stadtviertel. Es hatte vier Logen, die Sitze waren durchgesessen, der rote Stoff an den Wänden wellte sich, es roch nach Staub und alten Polstern. Christiane war nach einem Einbruch in das Kino geflohen und hatte sich im Zuschauerraum versteckt. Mero stand plötzlich vor ihr. Er hatte Altersflecke im Gesicht und auf den Händen, und seine Zähne sahen aus wie Elfenbein. Sie sprang auf und schlug nach ihm, aber er ergriff ihre Faust in der Luft und drehte ihr den Arm auf den Rücken. Er hatte sich kaum bewegt dabei und nur eine Hand benutzt.

»Nein, junge Frau, so nicht«, sagte er und lächelte. Er ließ sie los, sie fiel in einen Sessel. »Bleib da sitzen.«

Sie war so überrascht, dass sie ihm tatsächlich gehorchte.

»Ich bin Mero.«

Er schien keine Antwort zu erwarten.

»Möchtest Du etwas essen? Ich habe für mich Spaghetti gekocht. Du kannst welche haben. Und keine Angst, mich interessieren kleine Mädchen nicht, falls Du das denkst. Ich hole noch einen Teller.«

Christiane hatte seit zwei Tagen nichts Richtiges gegessen, und es beeindruckte sie, wie der Mann ihre Faust abgefangen hatte und wie ruhig er geblieben war.

Mero ging in einen Nebenraum, und als er zurückkam, hielt er ihr einen Teller mit Spaghetti und Tomatensauce hin. Sie nahm den Teller. Er setzte sich mit seinem Teller zwei Sessel von ihr entfernt und begann zu essen.

»Jetzt sei still«, sagte er, obwohl sie nichts gesagt hatte. »Ich möchte den Film sehen. Es ist ein sehr guter Film, Du kannst hierbleiben, aber Du musst still sein.«

Sie waren alleine im Kino und aßen Spaghetti und sahen *Fahrraddiebe* von Vittorio De Sica. Mero zeigte seit vielen Jahren diesen Film jeden Nachmittag um 15:00 Uhr. Christiane sah ihn später noch unzählige Male, aber sie vergaß nie, wie sie ihn an diesem Tag gesehen hatte. Als der Film zu Ende war, sagte Mero, sie könne morgen wiederkommen, sie bekäme wieder etwas zu essen.

Christiane kam nun jeden Tag in das Kino. Zuerst sah sie noch zweimal die *Fahrraddiebe*, dann kam sie abends, um sich andere Filme anzuschauen. Anfangs waren ihr Handlung und Schauspieler gleichgültig, sie interessierten die Ausstattung und die fremden Orte, von denen sie noch nie etwas gehört hatte. Im Heim, in dem sie aufgewachsen war, war zwar ständig der Fernseher eingeschaltet gewesen, aber niemand hatte sich dort auf einen Film konzentrieren können. Hier, in der Dunkelheit des Kinosaales, sah sie Bilder, die sie nicht kannte. Sie begann, in den Filmen zu reisen, sie lebte ein fremdes Leben, und wenn sie etwas nicht verstand, erklärte Mero es ihr. Sie freute sich den ganzen Tag auf die Abendvorstellung, auf einen Teller Nudeln oder Reis und darauf, dass Mero mit ihr sprach. Er war der erste Mensch, der sie nicht anschrie oder wegscheuchte, sondern sie nach ihrer Meinung und ihren Eindrücken fragte. Anfangs war sie schüchtern und konnte kaum erklären, was sie dachte, aber nach und nach lernte sie im Kino und von Mero neue Wörter und wurde sicherer.

Nach vier Monaten sagte Mero: »Du bist intelligenter als die meisten Mädchen in Deinem Alter. Du solltest wieder zur Schule gehen.« Sie lachte ihn aus.

Zwei Tage später stellte er ihr eine ältere Frau vor, eine pensionierte Lehrerin aus dem Viertel. Die Lehrerin sprach lange und ernst mit Christiane, und erst viele Jahre später begriff sie, dass Mero sie damals gerettet hatte. Die Lehrerin sorgte dafür, dass sie wieder zur Schule ging. Mero sagte, er könne eine Kartenabreißerin und Platzanweiserin gebrauchen, obwohl das nicht stimmte, weil fast niemand in sein Kino ging. Er würde ihr ein kleines Gehalt bezahlen, vor allem aber könne sie in dem Zimmer über dem Kino wohnen. Das Zimmer war winzig, aber Mero hatte an zwei Wänden und im Bad große Spiegel angebracht, sodass es größer wirkte. Christiane zog ein, und zum ersten Mal in ihrem Leben hatte sie ein Badezimmer und ein Bett und einen Schrank für sich alleine. Von ihrem ersten Geld kaufte sie sich neue Turnschuhe und Kleidung, und die Lehrerin schenkte ihr einen Parka für den kalten Berliner Winter.

Jeden Tag nach der Schule machte Mero mit ihr Hausaufgaben. Er war streng, aber geduldig und ruhig. Danach gingen sie in den Hinterhof des Kinos, und er zeigte ihr eine Stunde lang, was er in der Fremdenlegion und seinem harten Leben gelernt hatte. Er brachte ihr bei, wie man sich im Straßenkampf wehrte, wie man Flaschen, Kugelschreiber, Messer und Stühle benutzte, wie man Gegner verletzen und töten konnte und wo ihre körperlichen Grenzen lagen. Am Nachmittag zur ersten Vorstellung nahm sie mit ihren Schulbüchern den Platz hinter der Kasse ein, und falls Besucher kamen, verkaufte sie ihnen Karten und Getränke.

Vor der letzten Vorstellung aßen Mero und sie zusammen in den Kinosesseln zu Abend. Er erzählte von seiner Kindheit in Algier, von der Kasbah mit ihren unzähligen engen Gassen, von der Promenade des Sablettes mit den weißen Häusern und vom Meer. Es waren die Höhepunkte ihres Tages.

Christiane fiel die Schule anfangs schwer, dann wurde es leichter, sie wechselte von der Hauptschule auf die Realschule und schließlich auf das Gymnasium. Seit ihrem vierzehnten Geburtstag sprach Mero nur noch Französisch mit ihr, und mit fünfzehn lernte sie von ihm Arabisch und Tamazight, die Sprache der Berber in Algerien. Mit sechzehn nahm sie ihren ersten Freund mit in ihr Zimmer, ein netter Junge aus ihrer Schule. Sie hatte ein wenig Angst, ihn vorzustellen, aber Mero war freundlich zu ihm. Auch ihr zweiter Freund war aus der Schule, sie blieben zwei Jahre zusammen.

Zu ihrem achtzehnten Geburtstag ließ Mero sie den Führerschein machen, und als sie das Abitur bestand, kam er zur Zeugnisverleihung in einem dunkelblauen Anzug, den sie für ihn ausgesucht hatte. Er trug eine rote Nelke im Knopfloch, küsste sie auf die Wangen und schenkte ihr eine Halskette mit einem gestreiften Malachit.

Abends ging sie auf den Abiball, und als sie um vier Uhr morgens in ihr Zimmer zurückkam, war sie betrunken und glücklich. Sie wollte noch duschen, zog sich im Badezimmer aus, stolperte über den Rand der Duschtasse und griff nach der Brause. Das Gestänge riss aus der Verankerung, prallte gegen die Spiegelwand und zerschlug sie. Christiane war unverletzt geblieben, sie richtete sich auf und wurde schlagartig nüchtern. Hinter den Spiegelscherben sah sie einen dunklen Flur und eine große Kamera. Sie band sich ein Handtuch um und zog die Scherben vorsichtig aus dem Rahmen, bis sie den Gang betreten konnte. Es war ein halbdurchlässiger venezianischer Spiegel. Sie ging den schwach beleuchteten Gang entlang, der um ihr ganzes Zimmer herumführte. Überall hinter den Spiegelwänden waren Kameras. Der Gang führte zu einem fensterlosen Raum. Dort standen auf einem Tisch acht Videorekorder und zwei Fernseher, schwarze Plastikhüllen für VHS-Videokassetten, Kartons und Verpackungsmaterial. In der Ecke lagen Pakete mit Adressaufklebern, die offenbar an Kunden geschickt werden sollten.

Christiane nahm eine der Kassetten, legte sie ein und drückte auf Start. Es waren halbprofessionell geschnittene Nacktaufnahmen von ihr unter der Dusche, in ihrem Zimmer und ihrem Bett und vor allem mit ihrem Freund. Sie schaltete das Video aus und blieb vor dem dunklen Bildschirm sitzen. Dann sah sie die steile Wendeltreppe ohne Geländer. Sie führte ins Erdgeschoss zu der abgeschlossenen Tür, von der Christiane immer gedacht hatte, sie gehöre zu der stillgelegten Hausmeisterloge.

Christiane ging zurück in ihr Zimmer, setzte sich auf ihr Bett und dachte nach. Dann packte sie alle ihre Sachen in drei große Müllbeutel und schleifte sie die Treppe hinunter zum Büro des Kinos. Sie öffnete den Tresor, steckte alles Geld in einen der Müllbeutel – es waren rund 28 000 Euro, Meros Ersparnisse – und nahm den Schlüssel seines alten Peugeot 505 vom Schreibtisch. Auf der Straße lud sie ihre Sachen in den Kofferraum des Wagens und fuhr los. Es war Sonntagmorgen, kurz vor sechs Uhr. Die Straßen waren leer, die Berliner Mauer war vor einem Jahr gefallen, und sie konnte ungehindert die Stadt verlassen. Vor Hannover hielt sie an einer Autobahnraststätte, stellte den Sitz zurück und schlief zwei Stunden. Dann ging sie ins Restaurant, trank einen Kaffee und aß zwei Schokoladenriegel an einem Stehtisch. Sie kaufte eine Autobahnkarte und legte die Route fest. Elf Stunden später kam sie in Paris an. Sie nahm ein Zimmer in einer Pension am Stadtrand, legte sich in Kleidern auf das Bett und schlief sehr lange.

In den folgenden Wochen arbeitete sie auf dem Marché de Rungis. Sie nahm sich eine winzige Wohnung in der Nähe und war täglich fünfzehn Stunden auf dem größten Frischmarkt der Welt, sie arbeitete als Packerin, Gabelstaplerfahrerin und Verkäuferin. Sie sprach Französisch, Arabisch und Deutsch, die Händler mochten ihre offene, aber bestimmte Art, und als ein Fahrer krank wurde, übernahm sie zum ersten Mal eine Tour und transportierte Obst und Gemüse nach Toulouse. Nach einem Jahr wurde sie bei einem Fuhrunternehmen fest angestellt, und nach zwei weiteren Jahren kaufte sie sich selbst ihren ersten kleinen Kühltransporter. Riesige Transportunternehmen arbeiteten im Rungis, und es gab kaum eine Chance für einen Neuling. Aber sie setzte auf Freundlichkeit und Großzügigkeit, obwohl sie sich das kaum leisten konnte. Es funktionierte. Nach einem weiteren Jahr hatte sie vier Kühllaster. Sie stellte ausschließlich Frauen ein, was die Männer auf dem Markt mochten. Sie arbeitete hart, es gab brutale Kämpfe um Marktanteile, immer wieder wurden Fahrerinnen zusammengeschlagen, Reifen aufgestochen und LKWs gestohlen. Aber als sie das Unternehmen nach 25 Jahren an ihren größten Konkurrenten verkaufte, fuhren fast 400 Kühllaster für sie und belieferten sechzehn Länder in Europa.

Mit 24 Jahren bekam Christiane eine Tochter, die Verbindung zu dem Mann hielt nicht lange. Die Tochter war jetzt 22 und studierte an der Sorbonne. Christiane kaufte eine Wohnung im 16. Arrondissement, legte ihr Geld vorsichtig an und würde nie wieder arbeiten müssen. Nur zu der alten Lehrerin aus Kreuzberg hatte sie noch Kontakt, sie telefonierten einmal im Jahr miteinander, und von ihr hatte sie auch von Meros Tod und der Beerdigung erfahren.

»Haben Sie ihn noch einmal getroffen?«, fragte ich.

»Nein, nie. Das konnte ich nicht. Die ersten Jahre war ich so voller Wut auf ihn. Ich wollte, dass er leidet. Wenn man auf der Straße aufwächst und später im Rungis arbeitet, kennt man viele Leute. Es gab also Möglichkeiten.«

»Das kann ich mir vorstellen«, sagte ich.

»Ich habe wochen- und monatelang nachgedacht. Es ist ja so, dass ich auf der einen Seite alles von Mero gelernt habe. Wenn er nicht gewesen wäre, wäre ich abgestürzt und in der Gosse gelandet. Nein, nicht gelandet, da kam ich ja her. Er war der Erste, dem ich etwas bedeutete und der mir das Gefühl gab, dass ich überhaupt etwas wert bin. Er bläute mir ein, dass ich alles erreichen konnte, wenn ich nur wollte. Mein Ehrgeiz, mein Fleiß, meine Härte, mein Erfolg – das alles kommt von ihm. Auf der anderen Seite: die Pornos. Mero war ein Schwein und gleichzeitig ein guter Mensch.«

»Das sind wir vermutlich alle ein bisschen«, sagte ich.

»Ich wollte Mero nicht umbringen, obwohl ich das damals ohne weiteres gekonnt hätte. Aber er durfte auch nicht so weiterleben. In manchen arabischen Ländern nimmt man einem Menschen zur Strafe das Augenlicht. Man träufelt mit einer Pipette ein paar Tropen Schwefelsäure ins Auge, die frisst sich immer weiter durch. Gefäße werden zerstört, die Hornhaut durchgetrübt, der Verletzte wird blind. Es sind unvorstellbare Schmerzen, der Schaden kann nicht operiert werden. Aber man stirbt nicht oder doch erst nach Jahren an den Folgen, wenn es zu viel Säure war. Auge um Auge im biblischen Sinn also.«

»Eine scheußliche Strafe.«

»Mero hat etwas gesehen, was er nicht hätte sehen dürfen«, sagte sie.

»Trauern Sie um ihn?«

»Nein, ich habe ein schlechtes Gewissen. Ich verstehe es nicht.«

»Ich glaube, das ist das Gleiche«, sagte ich.

Sie sah zum dunklen Mondbild hinten in der Lobby.

»Nicht ganz. Jedenfalls will ich sein Geld nicht. Ich habe selbst genug verdient. Ich spreche mit dem Notar. Er soll alles verkaufen und das Geld den Kinderheimen schenken.«

»Ja, machen Sie es so. Rufen Sie ihn an. Ich glaube, so ist es am besten.«

»Vielen Dank, dass Sie sich die Zeit genommen haben. Schicken Sie mir Ihre Rechnung bitte, ja?«

»Nein«, sagte ich. »Ich hatte noch nicht einmal ein Mandat.«

Ich stand auf, nahm meinen Mantel von einem der Sessel, und sie reichte mir meinen Schal über den Tisch. Ihr Gesicht war das einer alten Frau, nur ihre Augen waren jung.

»Ich habe jemanden geschickt«, sagte sie leise.

»Was meinen Sie?« Sie sprach so leise, dass ich mich zu ihr hinunterbeugen musste.

»Ich weiß, diese ganze Sache mit der Rache ist falsch. Es geht niemandem besser danach. Ich habe mich geschämt. Für ihn geschämt und für mich selbst. Heute würde ich es nicht mehr tun. Man soll so etwas vorbeigehen lassen, das ist immer noch das Klügste.«

»Was haben Sie denn getan?«

»Ich habe jemanden geschickt.«

»Ich verstehe nicht«, sagte ich.

»Mero verlor sein Auge nicht als Kind.«

Siebzehn

Gestern im Fernsehen: Wladimir Putins Haus am Schwarzen Meer. Das Grundstück mit Palast sei fast vierzigmal so groß wie Monaco und habe mehr als eine Milliarde Euro gekostet.

Giacometti ist 25 Jahre alt, als er in Paris ein Atelier mietet, in der Rue Hippolyte-Maindron im 14. Arrondissement. Es ist eine kleine Einzimmerwohnung im Erdgeschoss, »ein Loch«, schreibt er seinen Eltern. Er hängt eine Lampe an die Decke und beginnt zu arbeiten. Obwohl er später heiratet, obwohl er mit seinen Skulpturen weltberühmt und wohlhabend wird, arbeitet er 40 Jahre, bis zu seinem Tod, in diesem winzigen Zimmer. Tagsüber isst er im Café-Tabac Le Gaulois, das um die Ecke des Ateliers liegt, abends geht er in die Coupole, kaum fünfzehn Minuten entfernt. Brassaï, der große Fotograf, trifft ihn im Café und bekommt Angst um ihn: Giacometti esse manchmal nur ein Sandwich oder die hartgekochten Eier von der Theke, vor allem aber rauche er unzählige Zigaretten. Niemand könne das durchhalten. Giacometti sagt, er müsse immer arbeiten, sein Leben sei monoton, wie das eines Gefangenen. Obwohl er ein sozialer Mensch ist und viele der Künstler ihn damals in seinem Atelier besuchen, sagt er am Ende seines Lebens: »Ich war einsam. Ich beklage mich nicht. Es war sehr angenehm.«

Achtzehn

Besuch bei Tante Sophie in Pamplona. Sie hat bis vor kurzem in London gewohnt, aber ihr Mann hat sie wegen einer sehr viel jüngeren Frau verlassen, und sie ist daraufhin zurück nach Pamplona in das Haus ihrer Kindheit gezogen. Eigentlich ist sie nicht meine Tante, sondern die Mutter eines Internatsfreundes, aber als Kind war ich oft in den Ferien bei dessen Eltern. Damals sollte ich sie »Tante Sophie« nennen, später wollte sie nicht mehr »Tante« genannt werden.

Sophie geht es nicht gut. Ihre Ehe hat 54 Jahre gehalten, sie haben zwei Kinder, die längst eigene Familien haben. Sie ist immer noch furchtbar wütend auf ihren Ex-Mann.

»Wegen eines Models!«, sagt sie etwa zwanzig Mal am Tag. »Wegen eines Models! Kannst Du Dir das vorstellen?«

Sophie ist gebildet, körperlich geht es ihr gut, und sie hat keine finanziellen Probleme. Die Welt steht ihr immer noch offen, aber das hilft nichts.

»Wenn ich vor hundert Jahren gelebt hätte, wäre ich ins Kloster gegangen. Aber schau Dir heute mal diese Klöster hier an, die sind alle am Ende, das kann man ja auch nicht mehr machen. Jetzt bin ich eine geschiedene Frau. Was für eine Scheußlichkeit. Wenn ich wenigstens Witwe wäre, das wäre würdevoller. Und dabei war es eine so schöne Ehe.«

Auf der Hochzeit ihrer Urgroßeltern hatte noch Anton Bruckner gespielt und durfte nur am Katzentisch essen – sie kann einfach nicht begreifen, dass ihr Mann es gewagt hat, sie zu verlassen.

Ich bin mir nicht sicher, ob ihre Ehe tatsächlich so schön gewesen ist. Mir hatte ihr Mann jedenfalls kurz nach der Trennung von Sophie geschrieben, jetzt wisse er zum ersten Mal in seinem Leben, was es bedeute, ein freier Mensch zu sein.

Ich verbringe ein paar Tage in der wunderbaren Stadt, tagsüber schreibe ich im Café Iruña, und nachmittags sitzen wir in Sophies herrlichem Garten. Sie erzählt jeden Abend alle möglichen Details ihrer Ehe und ihrer Trennung. Ich bin froh, als sie fragt, ob ich Lust hätte, nach Olite zu fahren, dort sei ein kleiner Empfang. Sie wisse allerdings nicht, wer der Gastgeber sei. »Ich glaube, ein arabischer Industrieller oder irgendetwas mit Öl. Woher soll ich das wissen, diese Leute kann man ja unmöglich noch alle kennen.« Jedenfalls käme halb Navarra dorthin, und es wäre doch eine hübsche Abwechslung für mich. Warum sie eingeladen worden sei, wisse sie auch nicht, vermutlich stünde sie auf irgendeiner Liste für solche »›Events‹ oder wie das heute heißt«.

Am späten Nachmittag fahren wir mit ihrem Wagen nach Olite. Sie will, dass ich langsam fahre, sodass wir fast eine Stunde brauchen, unter keinen Umständen möchte sie pünktlich zum Empfang erscheinen. Auf der Fahrt schimpft sie wieder, es gehöre sich einfach nicht, dass eine Frau ohne ihren Mann zu einem Empfang gehe, wie sehe das denn aus. »Dieser unverschämte Mann ist eine einzige Demütigung für mich«, sagt sie, »und das alles wegen eines Models.«

Ein Ordner will Sophies Einladung sehen. »Wieso glauben diese Leute, dass ich hier erscheinen würde, wenn ich nicht eingeladen worden wäre?«, sagt sie. Der Königspalast aus dem 15. Jahrhundert sieht aus, als hätte ihn Walt Disney gezeichnet, runde und viereckige Türme mit Wehrgängen, Mauern mit Zinnen und einer wehenden Fahne auf dem Dach. Innen ist es weniger spektakulär, jemand sagt, die Burg sei in den napoleonischen Kriegen in Brand gesteckt worden und erst Ende der 1960er Jahre wieder restauriert worden.

Der Empfang ist in einem der Innenhöfe. Wir stehen unter einem riesigen Maulbeerbaum, das Essen ist gut und einfach (Sophie: »Wie soll man das denn im Stehen ohne Besteck essen? Wie heißt das? Fingerfood? Grässlich.«) Im Bogensaal gibt es Kaffee und Süßigkeiten.

Und dann sieht Sophie den Gastgeber und seine Begleitung. Sie stehen im Schatten einer Mauer und begrüßen die Gäste. Er ist etwa 80 Jahre alt, ein kleiner, sehr dicker Mann in einem dreiteiligen weißen Anzug, lange weiße Haare, Oberlippenbart, ein aufgeschwemmtes rotes Gesicht. Er schwitzt stark und wischt sich alle zwei Minuten mit einem Taschentuch über die Stirn. Die Frau neben ihm ist achtzehn oder zwanzig Jahre alt, fast 1,80 Meter groß, eine Schönheit in einem engen schwarzen, tief ausgeschnittenen Kleid. Sie hat ihre Arme um die Schultern des Mannes gelegt und lacht mit den Gästen. Sophie starrt die Frau an, dann mich, dann wieder die Frau und den Mann. Sie wird bleich.

»Hast Du das gesehen? Dieser widerliche alte Kerl ist auch mit einem Model zusammen«, sagt sie. Danach ist sie nicht mehr zu bremsen. Warum seien Männer nur so unreif, so primitiv, so geistlos, so windig, so verletzend, so gemein. »Dieser Greis«, sagt sie und zeigt auf den Gastgeber, »wie kann er nur ein so hübsches Mädchen zerstören. Worüber unterhalten die sich? Über ihre Schulnoten? Das ist sicher strafbar. Du warst doch mal Anwalt. Gibt es nicht ein Gesetz dagegen? Das ist ja schon Vergewaltigung …« Es ist anstrengend, sie davon abzubringen, ihn zu ohrfeigen.

Der Gastgeber schlägt mit einem Löffel gegen

sein Glas, es wird still, Sophie schimpft nur noch flüsternd. Der Mann hält eine Rede, er steht mit einem Mikrofon auf einer Plattform aus Holz, auf der man später tanzen soll. Den Inhalt seiner Rede auf Spanisch kann ich kaum verstehen und wegen Sophie auch kaum hören, es geht wohl um die Erhaltung von Museen und Kulturgütern in Pamplona und Navarra. Am Ende fordert der Mann, der vom Alkohol, der Hitze und der Rede mittlerweile ein bedenklich rotes Gesicht hat, die Gäste zum Tanz auf. Das Orchester beginnt den *Kaiserwalzer* von Johann Strauss zu spielen, was ziemlich merkwürdig ist in dieser Umgebung, aber trotzdem gut funktioniert. Der alte Mann nimmt die schöne junge Frau in den Arm und beginnt – erstaunlich leichtfüßig – zu tanzen. Andere Paare gehen auch auf die Tanzfläche.

Sophie ist verschwunden, sie will sich frisch machen. Ich bin erleichtert über die Pause und sehe dem alten Mann und der jungen Frau zu. Sie strahlt in seinen Armen, die beiden tanzen elegant und innig.

Eine Engländerin mit Strohhut und grünem Kleid steht neben mir und sagt: »Ist es nicht großartig, dass er wieder da ist?«

»Verzeihen Sie bitte, ich bin nur mitgebracht worden. Wer ist der Gastgeber?«, sage ich.

»Er war Bauunternehmer. Jetzt ist er einer der größten Kunstsammler Spaniens und ein Sponsor der Museen in Navarra. Dieser Empfang hier ist für die Förderer der Museen.«

»Verstehe«, sage ich. Sophies Vorfahren hatten eines der Museen mitbegründet, wie sie mir einmal erzählt hat. »Und was meinen Sie damit, dass er wieder da sei?«

»Seine Frau ist vor zwei Jahren gestorben, Krebs. Er ist darüber so depressiv geworden, dass er sein Haus nicht mehr verlassen hat«, sagt sie. »Ich glaube, das ist sein erster Empfang seitdem. In zwei Wochen wird er 80 Jahre alt. Und jetzt sehen Sie ihn sich an. Ist das nicht herrlich, wie er mit seiner Enkelin tanzt?«

Neunzehn

Telefongespräch mit einer Richterin aus Chicago. Sie ist aufgebracht, ihre Stimme zittert. Studenten in Harvard, wo sie gelehrt hatte, hätten eine Onlinepetition aufgesetzt. Der Grund: Ein Professor sei dem Verteidigungsteam um Harvey Weinstein beigetreten. Die Studenten wollten nicht mehr von ihm unterrichtet werden.

Harvey Weinstein war ein amerikanischer Filmproduzent, über den die *New York Times* im Oktober 2017 berichtete, er habe 30 Jahre lang Frauen sexuell missbraucht. In acht Fällen seien Vergleichszahlungen an einzelne Opfer geleistet worden. Kurze Zeit später wurde im *New Yorker* ein Text veröffentlicht, wonach Weinstein dreizehn weitere Frauen sexuell genötigt und drei vergewaltigt habe. Insgesamt meldeten sich nach und nach 88 Frauen, die aussagten, von Weinstein sexuell belästigt, genötigt oder vergewaltigt worden zu sein. Politiker, Schauspieler und Regisseure verurteilten Weinsteins Verhalten, er wurde von seiner Produktionsfirma entlassen, aus allen professionellen Filmverbänden ausgeschlossen, seine Frau ließ sich von ihm scheiden. Im März 2020 wurde er zu 23 Jahren Haft verurteilt. Das Urteil ist noch nicht rechtskräftig.

Ich erzähle der Richterin, was ich vor ein paar Tagen auf dem Kurfürstendamm gesehen habe. Ein Auto hatte ein anderes geschnitten, das daraufhin scharf bremsen musste. Beide Fahrer hupten, dann stiegen sie aus und trafen sich in der Mitte der Straße. Mit hochroten Köpfen stießen sie ein paar Mal ihre dicken Bäuche gegeneinander. Das war alles, sie sprachen kein einziges Wort. Danach stiegen sie wieder ein und fuhren davon. Das Ganze war sehr komisch, aber es hatte auch etwas Tierisches, Hunde benehmen sich so. Zwischen Ereignis und Reaktion gibt es nichts mehr, kein Zurücktreten vor sich selbst, kein Nachdenken, keine Vernunft. Ein Mann betatscht den Po und die Brüste einer Frau, weil ihn das erregt. Eine Frau wird niedergeschrien, weil ein Mann das kann. 2016 wurden in der Europäischen Union 42000 Frauen befragt, 55 % von ihnen haben seit dem 15. Lebensjahr eine Form der sexuellen Belästigung erlebt.

Der Protest der Studenten, sagt die Richterin, sei eine spiegelverkehrte Reaktion. Die Studenten der besten juristischen Universität der Welt hätten nur das Wort »Weinstein« gehört, und damit wurde für sie der Verteidiger zum Angeklagten. Und jetzt, so sagt die Richterin, hätten sie es wirklich geschafft:

Die Leitung der Universität habe sich den Protesten gebeugt, der Professor und dessen Frau seien nicht mehr ins Dekanat gewählt worden.

»Wir verlieren sie«, sagt die Richterin. »Wir verlieren eine ganze Generation junger Menschen.«

Zwanzig

Nach einer Lesung in Hamburg wartet vor der Elbphilharmonie eine Frau auf mich. Sie sagt ihren Namen, den ich noch nie gehört habe. Sie sei die Freundin von Tom gewesen, sagt sie, damals im Studium, aber ich erinnere mich weder an sie noch an einen Tom. Mein Taxi wartet. Ich sage, ich müsse leider jetzt schnell los, um den Zug noch zu bekommen. Das Taxi bringt mich zum Bahnhof, ich muss zum Bahnsteig rennen, es ist der letzte Zug nach Berlin.

Das Abteil ist fast leer, nur ein Geschäftsmann, der pausenlos telefoniert und mit jemandem über die Probleme in seiner Firma spricht, obwohl es fast elf Uhr nachts ist. Er hört sich an wie einer dieser Friseure, die auch dann mit der Schere klappern, wenn sie gerade keine Haare abschneiden.

Der freundliche Schaffner bringt Kaffee und Wasser an den Tisch, draußen zieht die nächtliche, kalte und traurige Fontane-Landschaft vorbei. Der Geschäftsmann telefoniert noch immer und sagt, die Logistikabteilung sei »ein einziger Dreckshaufen«.

Jean-Paul Sartre schreibt in seinem Theaterstück *Geschlossene Gesellschaft* den Satz: »Die Hölle, das sind die Anderen.« Das ist, trotz des Geschäftsmannes im Zug, eine ganz falsche, eine fast kindliche Idee. In Wirklichkeit ist der Andere die einzige Möglichkeit, selbst zum Menschen zu werden. Der Andere ist die Begründung für das eigene Leben, aber das begreift man immer erst zu spät. Vielleicht ist es einfacher, wenn man nicht liebt. Sie fehlt mir so sehr, dass ich die Augen schließe. Und dann fällt mir plötzlich ein, wer diese Frau vor der Elbphilharmonie und wer Tom war.

Als ich zweiundzwanzig war, fingen alle mit dem Boxen an. Ich weiß nicht mehr, woher das kam, aber ich glaube, es lag daran, dass jemand zwei Semester in Cambridge studiert und es von dort mitgebracht hatte. Es war eine Modeerscheinung, und wie jede dieser Moden dauerte das Ganze nicht sehr lange, ein oder zwei Jahre vielleicht. Davor war es Feldhockey gewesen, und was danach kam, weiß ich nicht, weil ich nicht mehr in dieser Stadt wohnte. Keiner, den ich kannte, blieb jedenfalls beim Boxen hängen, aber es gab andere Studenten, die damit weitermachten, so wie es auch welche gab, die nach drei Jahren noch immer Feldhockey spielten.

In der Nähe des Bahnhofes lag in einer engen Seitenstraße ein ruhiges, kleines Café. Es hatte nur fünf Tische und wurde nicht oft von Studenten besucht. Ich ging dort manchmal abends hin, wenn ich alleine sein wollte. Es gehörte zu dem Feinkostgeschäft im selben Haus, und deshalb gab es guten Käse und frisches Brot. Ich saß immer an einem kleinen Tisch in der Ecke, an dem man nur alleine sitzen konnte, und der alte Kellner ließ mich in Ruhe, obwohl ich nicht viel bestellte und mit mir nichts zu verdienen war.

An einem Abend im Wintersemester kam Tom mit einer Gruppe von der Straße herein. Vielleicht waren sie mit dem Zug am Bahnhof angekommen und hatten sich in dieses Café verirrt. Es waren drei Frauen und vier Männer, sie waren sehr laut, und zwei oder drei von ihnen waren ziemlich betrunken. Sie lachten und warfen ihre Mäntel über die Lehnen der Stühle, die umfielen, und brachten alles in dem Café durcheinander. Sie setzten sich an den einzigen größeren Tisch in der Mitte und zogen noch weitere Stühle heran, weil der Tisch nur Platz für vier Personen bot. Die Tür ließen sie offen stehen, es wehte kalt von der Straße herein, bis ein Windstoß sie zuschlug. Sie bestellten durcheinander und änderten ihre Wünsche dauernd, und dann lachten sie, weil der alte Kellner zu langsam war und sie nicht verstand. Eine der jungen Frauen stand auf und nahm von der Theke das ganze Tablett mit dem Käse und dem Brot und stellte es in die Mitte auf den Tisch.

Tom kannte ich vom Sehen, so wie jeder in der Uni Tom zumindest vom Sehen kannte. Er studierte Zahnmedizin, soweit ich mich erinnere. Vor allem aber war er 2,05 Meter groß, sein T-Shirt spannte sich über seinem Bizeps und seiner Brust, er hatte ein vorstehendes Kinn und zu weiße Zähne. Tom war für seine Alkoholexzesse bekannt und galt trotzdem als bester Boxer der Uni. Jeder wusste, dass Tom eigentlich Norbert hieß und aus einer Kleinstadt im Ruhrgebiet stammte, aber er selbst fand, dass »Tom« viel besser zu ihm passte, und ließ sich von allen nur so nennen.

Am Fenstertisch saß ein Paar, das ich noch nie hier gesehen hatte. Sie baten den Kellner um die Rechnung, weil es ihnen wohl auch zu laut wurde. Die Frau war Ende zwanzig, eine Audrey-Hepburn-Schönheit mit braunen Rehaugen, sie trug ein dunkles Kleid und Perlenohrringe und sah aus, als wäre sie gerade aus der Oper oder einem Konzert gekommen. Der Mann passte nicht zu ihr, er hatte ein pockennarbiges, hartes Gesicht, war klein, dünn und drahtig und mindestens zwanzig Jahre älter als sie. Der Kellner brachte dem Paar die Rechnung. Der Mann nahm eine Rolle Geldscheine aus seiner Hosentasche, und in diesem Moment brüllte Tom, er solle die »schöne Frau« doch hier lassen, sie hätten »eine zu wenig dabei«, und alle an seinem Tisch lachten. Der Mann beachtete ihn nicht, er gab dem Kellner das Geld und ging zur Garderobe, um die Mäntel zu holen. Als er an dem großen Tisch vorbeiging, hielt ihn Tom am Arm fest und sagte: »Hey, ich habe mit Dir geredet.« Der Mann machte sich los, ohne Tom anzusehen, und als er von der Garderobe mit den Mänteln wieder zurückkam, stellte sich Tom ihm in den Weg.

»Kannst Du nicht antworten, oder was?«, sagte Tom.

»Sie sind betrunken«, sagte der Mann. Er sah Tom immer noch nicht an.

Tom war zwei Köpfe größer als er und doppelt so breit.

»Hey, ich bin nicht betrunken«, sagte Tom. Seine Freundin versuchte, ihn am Arm wegzuziehen, und sagte, er solle sich wieder hinsetzen.

»Gut, dann sind Sie eben nicht betrunken. Aber gehen Sie mir jetzt bitte aus dem Weg.«

Ich sah, wie seine Begleitung den Kopf schüttelte. Sie sagte zu dem Mann: »Nein, bitte nicht.«

Tom stieß den Mann mit einer Hand vor die Brust. Der Mann stolperte, fing sich wieder und sah zu seiner Begleitung. Sie schüttelte den Kopf. Einige der Studenten lachten. Tom drehte sich zu den Lachern um und grinste sie an.

Der Mann ging an Tom vorbei, seine Begleitung stand auf, und er half ihr in den Mantel. Dann zog er seine Handschuhe und seine Wachsjacke an. Als er zur Tür ging, hielt Tom ihn wieder fest.

»Du hast jetzt Schiss, oder? Gib zu, dass Du Schiss hast.«

Der Mann bewegte sich nicht. Die anderen am Tisch lachten, nur Toms Freundin sagte, er solle endlich aufhören.

»Schisser«, sagte Tom und ließ den Mann los.

Der Mann ging mit seiner Begleitung zur Tür, Tom konnte es nicht lassen und ging neben ihm her, er sah auf ihn hinunter. Als der Mann die Tür öffnete, um die Frau durchzulassen, stieß Tom die Tür vor ihr wieder zu.

»Es reicht jetzt«, sagte der Mann.

»Er ist nur ein Junge«, sagte die Frau.

»Was? Ich bin nur ein Junge?«, sagte Tom. Er drehte sich zu den anderen um. »Habt ihr das gehört? Ich bin nur ein Junge, hat die Schlampe gesagt.«

»Das stimmt«, sagte der Mann. Er sah jetzt zum ersten Mal Tom direkt an.

»Willst Du kämpfen?«, fragte Tom lächelnd und hob die Arme wie beim Boxen. »Na, komm schon.« Er schlug den Mann leicht auf die Brust und wiederholte: »Komm schon, komm schon, wehr Dich.«

»Das wollen Sie nicht«, sagte der Mann.

»Oh doch, das kannst Du haben«, sagte Tom. »Komm, wir gehen raus. Aber es ist Deine Schuld, wenn ich Dir die Zähne ausschlage.« Er drehte sich zu den anderen um. »Ihr habt es alle gehört. Er will es. Es ist seine Schuld. Nur seine Schuld.«

Die anderen standen auf, manche redeten auf Tom ein, er solle aufhören, und irgendwie waren alle plötzlich draußen auf der Straße. Es fiel Schnee. Er blieb auf dem Bürgersteig und der Straße und in den Zweigen der Bäume und auf den Dächern der Häuser liegen. Es war der erste Schnee in diesem Winter, und alles sah jetzt friedlich aus und hell. Ich stand auch auf und ging nach draußen. Ich glaube, ich war genauso alt wie Tom und sicher der Einzige, der an diesem Abend nichts getrunken hatte.

»Jetzt ist es aber gut«, sagte ich zu Tom. »Jeder weiß, dass Du boxen kannst. Aber Du verlierst Deine Lizenz in der Amateurliga, wenn Du gegen den Mann antrittst.« Ich wusste nicht, ob er überhaupt eine Lizenz hatte oder ob es stimmte, dass er sie so verlieren konnte. Aber ich fand, das sei ein ganz gutes Argument. »Außerdem ist der Mann nicht einmal annähernd Deine Gewichtsklasse. Lass es doch einfach.«

Tom starrte mich an. »Er hat angefangen«, sagte er.

Auch ich konnte jetzt sehen, dass er ein bisschen zu viel getrunken hatte.

»Nein, offen gesagt hast Du angefangen«, sagte ich. »Aber dieser Mann ist kein Gegner für Dich. Jetzt solltet ihr nach Hause gehen.«

»Nein«, sagte Tom. »Auf keinen Fall.«

Ich sah seine Freundin an, sie nickte mir zu und

versuchte es selbst auch noch einmal, aber Tom war nicht mehr zur Besinnung zu bringen. Er stand in der Kälte nur mit seinem dunkelblauen T-Shirt, auf das jetzt der Schnee fiel.

»Einer muss die Regeln erklären.« Tom zeigte auf einen der Studenten. »Du machst das.«

Der pockennarbige Mann behielt seine Jacke und seine Handschuhe an. Die Frau sagte zu ihm: »Mach bitte schnell, ich möchte gehen.« Dann drehte sie sich um und sah in die andere Richtung, zum Bahnhof.

Tom und der Mann standen sich gegenüber. Tom nahm die Grundhaltung eines Boxers ein, seine Füße standen schulterbreit auseinander, das linke Bein vorne, das rechte hinten, die Ellenbogen waren am Körper, die linke Faust hielt er an der Wange, die rechte unter dem Kinn. Er tänzelte auf der Stelle. Es sah albern und unfair aus: Tom war riesig im Vergleich zu dem kleinen Mann, der schwarz und bewegungslos auf der Stelle stand und die Arme hängen ließ.

Der Student, den Tom ausgewählt hatte, begann die Boxregeln aufzusagen: »Kopfstöße sind verboten, das Schlagen mit der Innenhand…«

In diesem Moment, so schnell, dass ich es kaum sehen konnte, trat der Mann mit der Schuhspitze in Toms Unterleib. Tom schrie auf, hielt die Hände vor seinen Schoß und krümmte sich nach vorne. Als sein Kopf auf Schulterhöhe des Mannes war, schlug dieser aus der Drehung seines Oberkörpers mit der Rechten gegen Toms Schläfe. Er traf Tom hart und präzise, die Wucht riss seinen Kopf zur Seite, er ruderte mit den Armen, suchte in der Luft nach Halt und fiel dann ohne einen weiteren Laut um. Ein paar Sekunden lang sagte niemand ein Wort, wir starrten auf Toms bewegungslosen Körper am Boden.

Der kleine Mann drehte sich sofort nach dem Schlag um, er sah Tom nicht zu Boden fallen. Er nahm die Hand seiner Begleiterin, die uns den Rücken zugekehrt hatte, und beide gingen langsam durch den Schnee in Richtung Bahnhof.

Toms Freundin kniete sich neben ihn und fühlte seinen Puls. Jemand rief dem kleinen Mann hinterher, er solle stehenbleiben, aber der kleine Mann reagierte nicht, und niemand hielt ihn auf. Einer sagte, Tom sei bewusstlos, er dürfe nicht bewegt werden, bis der Krankenwagen komme. Der Junge, der die Regeln vorgetragen hatte, sagte immer wieder, das sei gegen die Regeln gewesen, aber jeder wusste, dass es keine Regeln bei einer solchen Sache gab und keine Schiedsrichter.

Tom hatte eine Gehirnerschütterung und eine Hodenprellung. Nach einem Tag wurde er aus dem Krankenhaus entlassen. Zwei Wochen später trennte sich seine Freundin von ihm, er hörte mit dem Boxen und dem Trinken auf, er ging auf keine Partys mehr, und dann brach er auch das Studium ab. Später sagte jemand, er würde jetzt bei seinem Vater in der Autowerkstatt arbeiten und werde wieder Norbert genannt.

Einundzwanzig

1828 heiratet Charlotte Willhöft den Philologen und Dichter Heinrich Wilhelm Stieglitz. Die Ehe ist schwierig. Charlottes Mann fühlt sich in seinem Beruf als Kustos der Königlichen Bibliothek unwohl. Als Dichter ist er unbegabt und erfolglos.

Charlotte glaubt, ihm helfen zu können. Wenn sie sich selbst tötet, wird ihr Suizid ihren Mann inspirieren. Er wird dann sicher ein großer Dichter werden, vielleicht der größte überhaupt. Ihr Tod soll für ihn zu einem »wunderbaren Segen« werden.

Sie schreibt ihm einen Abschiedsbrief: »Zeige Dich nicht schwach, sei ruhig und stark und groß!« Sie ist 28 Jahre alt, als sie sich mit einem Messer ersticht.

Nach ihrem Tod schreibt Heinrich Wilhelm Stieglitz dann solche Sätze: »Der Dolch, der in ihr edles Herz gedrungen, wird mir fortan zum Kreuz heiligster Andacht [...]. Es darf ihr großer Opfertod, der Sinn der Erlösung, den sie gewollt, kein verlorener Moment sein.«

Den Gedichten hat der Suizid nichts genutzt.

Zweiundzwanzig

Oslo. Interviews in einer Wohnung des Goethe-Instituts, Blick auf eine bürgerliche Straße, auf Cafés und kleine Geschäfte. Das Leben hier scheint geordnet, ruhig und freundlich. Abends Lesung im Literaturhaus, etwa 300 Gäste. Gespräch auf der Bühne mit einer norwegischen Schriftstellerin. Ihre Tochter studiert Jura und diskutierte mit ihr in der Nacht zuvor die Fragen, sagt sie mir später. Die Fragen sind sehr klug, ich weiß kaum, was ich antworten soll. Immer wieder die Peinlichkeit, eine Sprache nicht zu verstehen.

Knut Hamsun lebte hier, seine Nähe zu den Nationalsozialisten, seine Verachtung Englands, der Juden, des Bürgertums, seine rassistischen Ideen, sein Verständnis für die Konzentrationslager. 1943 schenkte er seine Nobelpreismedaille Joseph Goebbels. Über Hitler schrieb er: »Er war eine reformatorische Gestalt von höchstem Rang.« Ich erinnere mich, wie ich zum ersten Mal Hamsuns Roman *Hunger* gelesen habe, ich war zwölf Jahre alt. Alles daran war fremd, beeindruckend und unheimlich, viele Nächte träumte ich damals von diesem Buch.

Hamsun hat es mit 29 Jahren geschrieben, den letzten Satz konnte ich auswendig: »Im Fjord draußen richtete ich mich noch einmal auf, feucht vor Fieber und Ermattung, sah zum Land und sagte für dieses Mal auf Wiedersehen zur Stadt, zu Kristiania, wo in allen Häusern die Fenster so hell leuchteten.« Daran denke ich während der Lesung, Kristiania ist der alte Name für Oslo. Hamsun soll auf einem Schiff im Hafen die ersten Sätze des Romans geschrieben haben: »Es war zu jener Zeit, als ich in Kristiania umherging und hungerte, in dieser seltsamen Stadt, die keiner verlässt, ehe er von ihr gezeichnet worden ist...«

Am nächsten Morgen Spaziergang durch Oslo, der Hafen mit den alten Segelbooten, gesalzener Fisch wird an Ständen verkauft. Es ist eine Idealstadt. Theater, Prachtstraße, Schloss auf dem Hügel, Park, Hotel, Rathaus, Geschäfte – alles in perfekter Anordnung. Das riesige Rathaus aus dunklem Backstein, düster und mächtig, der Friedensnobelpreis wird hier jedes Jahr verliehen. Vom Hafen zum Grand Café, das fast 150 Jahre alt ist. Auf dem Wandgemälde die Stammgäste Henrik Ibsen und Edvard Munch. Ich sitze draußen, es ist warm.

Der einzige Mensch, den ich in Oslo kenne, ist Peter Middleton. Wir sind sehr entfernt verwandt, aber das ist schon acht Generationen her. Peter ist Amerikaner, zwei seiner Vorfahren haben die amerikanische Unabhängigkeitserklärung mit unterschrieben, seine Familie lebt an der Ostküste und ist bis heute an zahlreichen Investmentgesellschaften und Banken beteiligt. Peter war, damals in Bonn vor fast 35 Jahren, ein ungewöhnlicher Student. Obwohl er aus einem sehr wohlhabenden Elternhaus stammte, wohnte er in einem winzigen Zimmer unter bescheidenen, fast ärmlichen Verhältnissen. Er war groß, sportlich, warmherzig und sah blendend aus, aber er sagte alle gesellschaftlichen Einladungen ab und hatte, soweit ich mich erinnere, in diesen Jahren auch nie eine Freundin. Er studierte Chemie und Philosophie, in den Semesterferien ging er wandern und bergsteigen. Einmal habe ich ihn ein paar Tage durch Südtirol begleitet. Es war wunderbar, ihm zuzuhören, wenn er mit größter Selbstverständlichkeit erklärte, nach Kant sei in der klassischen Philosophie nichts mehr gekommen. Fichte, Schelling, Hegel usw. hätten zwar interessante Entwürfe geliefert, aber letztlich sei der deutsche Idealismus überheblich, belanglos und unmenschlich. Jede Erkenntnis, das war einer seiner Lieblingssätze, könne doch nur vorläufig sein, und deshalb stoße ihn die Arroganz der Philosophen zutiefst ab. Er verehrte Karl Popper. In den 1920er Jahren habe der Philosoph in Wien eine Tischlerlehre gemacht, und seine Idee von der offenen Gesellschaft beruhe auf der Bescheidenheit, die er dort gelernt habe. Später habe ich erfahren, dass Peters Professoren ihn für brillant hielten und wollten, dass er an der Uni bleibt. Ich verlor ihn irgendwann aus den Augen, und erst vor ein paar Jahren sagte mir jemand, er wohne jetzt in Oslo.

Ich hatte mir seine Telefonnummer besorgt, bevor ich nach Norwegen fuhr. Ich rufe ihn aus dem Café an und frage, ob er Zeit habe.

»Ja, natürlich«, sagt er.

Ich erkenne ihn sofort, als er ins Café kommt, er hat sich kaum verändert, nur seine Haare sind jetzt grau, und er ist nicht mehr so dünn. Noch immer spricht er ohne den geringsten Akzent Deutsch. Er sei auf der Lesung gestern gewesen, aber er habe nicht stören wollen. Wir sprechen über meine Bücher, dann frage ich ihn, warum er jetzt in Oslo lebe.

»Ich habe eine Norwegerin geheiratet. Sie ist Journalistin. Wir haben zwei Kinder.«

»Und wo habt Ihr Euch kennengelernt?«

»In Peking, vor neun Jahren. Sie war dort Korrespondentin für eine norwegische Zeitung, und ich leitete die Forschungsabteilung eines Chemiekonzerns. Wir waren zusammen zu einem Abendessen eingeladen.«

»Und was machst Du jetzt hier?«

»Das zeige ich Dir nachher, wenn Du magst«, sagt er. »Du willst wissen, warum wir hierhergezogen sind? Ich habe meine Frau, damals waren wir allerdings noch nicht verheiratet, in den Irak begleitet. Sie wollte einen Artikel über die Jesiden schreiben, über ihre Leiden unter dem Islamischen Staat. Du weißt, wer die Jesiden sind?«

»Eine Glaubensgemeinschaft.«

»Ja, sehr streng. Nur wenn beide Elternteile Jesiden sind, sind die Kinder es auch. Es gibt nur noch etwa eine Million von ihnen, weltweit. Die meisten lebten in Sindschar, im Norden des Irak. 2014, kurz bevor wir dort ankamen, wurden etwa fünftausend Männer vom IS ermordet, siebentausend Frauen und Mädchen wurden vergewaltigt und in die Sklaverei verkauft, ihre Tempel und Dörfer wurden zerstört.«

»Ich habe das damals gelesen.«

»Die UNO und die Europäische Union verurteilten das als Völkermord. Obama ließ die Stellungen des IS kurz darauf aus der Luft bombardieren, das ganze Gebiet wurde unbewohnbar.«

»Und was habt Ihr dort gemacht?«

»Meine Frau interviewte Überlebende. Es war ziemlich gefährlich, Journalisten durften eigentlich nicht in die Region. Ich erinnere mich daran, wie ich auf einem Hügel vor Sindschar aus unserem Auto stieg. Die Stadt bestand nur noch aus Trümmern, es war schrecklich. Und plötzlich, dort auf dem steinigen Hügel, wurde mir etwas bewusst. Nein, ›bewusst‹ ist nicht der richtige Ausdruck. Es war eine durchdringende, ganz und gar überwältigende Klarheit. So etwas habe ich davor oder danach nie wieder erlebt. Mein Studium, die Philosophie, meine Herkunft, die Arbeit – all das war nicht mehr wichtig. Ich hatte nur noch diesen einen Gedanken, der sich in einem einzigen Wort erschöpfte.«

»Ja?«

»Mitte.«

»Was meinst Du damit?«

»Wir können nur in der Mitte leben. Jedes Extrem ist falsch. Und ich habe viele Extreme erlebt. Die geistigen und sehr viele körperliche, glaub mir«, sagt Peter. Er lächelt, und ich erinnere mich, dass er schon früher so gelächelt hat, wenn ich seinen Gedanken nicht folgen konnte.

»Du hast schon recht«, sagt er. »Du denkst, das sei trivial. Und das stimmt auch. Schon Aristoteles hat das ja gewusst, die Mesotes-Lehre, die Lehre von der Tugend als Mitte. Aber dort auf dem Hügel war es eben kein Gedanke mehr, keine Theorie, kein intellektuelles Konstrukt. Es war Erkenntnis, Wissen, ohne Zweifel, tief und endgültig. Die Mystiker im 13. Jahrhundert und die Kirchenväter haben das beschrieben. Ich glaube, Ihr nennt das in Eurer Sprache: ›Gott schauen‹. Wobei es eben nicht Gott war, sondern das Leben selbst.«

Er machte eine Pause.

»Vielleicht ist das sogar das Gleiche«, sagte er

dann. Danach habe er seine Arbeit in Peking aufgegeben. Sie hätten geheiratet und wären hierhergezogen. Norwegen belege seit vielen Jahren den ersten Platz auf dem *Human Development Index* der UN für Lebensqualität. Es gebe keinen besseren Ort, um seine Kinder aufwachsen zu lassen. Und wenn es irgendwo auf der Welt eine wirkliche Mitte gebe, dann sei sie genau hier.

»Komm«, sagt er. »Ich zeige Dir, was ich meine.«

Wir bezahlen und gehen die Karl Johans gate entlang, biegen vor dem Theater in eine der Seitenstraßen ab, überqueren einen kleinen Platz und bleiben vor einem Geschäft stehen. Peter schließt die Tür auf. Er schaltet das Licht ein, die Neonröhren an der Decke springen der Reihe nach an. Es ist ein ganz normaler Supermarkt, übersichtlich und ordentlich, aber nichts Besonderes. Ich sehe Peter an, er lacht.

»Ich habe zugunsten meiner Geschwister auf mein amerikanisches Erbe verzichtet. Von dem Geld, das ich in Peking verdient habe, habe ich diesen Laden gekauft. Ich habe fünf Angestellte und leite dieses Geschäft. Ich mache das wirklich gerne. Und ich bin gerne mit meiner Frau zusammen, die jetzt in Oslo arbeitet und an der Journalistenschule unterrichtet. Ich liebe unsere Kinder, die hier in die Schule gehen. Wir haben in der Stadt eine hübsche Wohnung und ein kleines Haus eine halbe Stunde von hier mit Blick auf das Meer. Wir gehen ins

Theater und in die Oper, und unsere Freunde leben hier.«

»Aber ich verstehe es immer noch nicht, Peter. Das ist doch nur ein Supermarkt«, sage ich.

»Nein, mein Freund, das ist die Mitte.«

Dreiundzwanzig

Vier Tage in Paris im Februar. Die französische Lektorin schrieb, ich solle kein Hotel buchen, sondern könne in der Autorenwohnung des Verlags im 7. Arrondissement wohnen. Als ich ankomme, bringt sie mich dorthin. Der Eingang des Verlages, der Éditions Gallimard, liegt in der Rue Gaston Gallimard, einer kleinen Straße, die nach dem Gründer benannt ist. Um die Ecke, in der Rue de l'Université, ist der Eingang zur Wohnung. Sie ist das Gegenteil moderner Hotelzimmer, und ich bin froh, dass ich das Angebot angenommen habe: warme Farben, eine Bibliothek mit Doppeltüren, Holzboden, Kamin, Schreibtisch, Sesseln, einem bequemen Sofa, einer winzigen Chaiselongue. An allen Wänden sind deckenhohe Holzregale mit tausenden Büchern: Gide, Valéry, Proust, Camus, Sartre, de Beauvoir. Gallimard veröffentlicht fast 40 Nobelpreisträger, viele von ihnen haben in diesem Appartement während ihres Aufenthalts in Paris gewohnt. Neben der Bibliothek das Schlafzimmer mit einem riesigen Bett, einem weiteren Schreibtisch und einem weiteren Kamin, dann ein Ankleidezimmer und ein Bad.

Die Zeitungsinterviews werden im Saal des Verlages geführt. Die Fragen sind klug und höflich, ich weiß trotzdem nicht, was ich zu den Büchern sagen soll. Noch dazu ist mein Französisch so schlecht, dass eine Dolmetscherin dauernd helfen muss. Ich fürchte, sie langweilt sich, nach dem fünften Interview kennt sie meine Antworten auswendig. Zwischen den Terminen gehe ich in den Garten, um zu rauchen. Jeder im Verlag ist freundlich und hilfsbereit, aber es kommt mir vor, als würde ich nicht mehr so ganz an meinem Leben teilnehmen. Die Bücher werden mir fremd, wenn ich über sie sprechen muss.

Abends mit einer Freundin zum Abendessen. Ich kenne sie seit mehr als 30 Jahren, sie ist Psychiaterin und lehrt an der Sorbonne. Sie erzählt mir von einem jungen Mann, der von zwei Männern vergewaltigt wurde. Der junge Mann sei ihr zur Behandlung überwiesen worden, aber es sei ihr unmöglich, ihn zu therapieren. Seine Psyche habe eine Schranke, wie sie das so noch nie erlebt habe. Immer wenn sie versuche, sich dem Thema zu nähern, sobald sie auch nur über den Ort der Vergewaltigung spreche, schlafe der Patient sofort tief und fest ein. »Hypnos ist der Gott des Schlafes, Thanatos der Gott des Todes. Die beiden sind Zwillinge«, sagt sie. Sie wisse nicht, wie sie den Mann behandeln soll.

Am nächsten Tag fahre ich mit der liebenswürdigen Lektorin mit dem TGV nach Straßburg zur Lesung in der Buchhandlung Kléber. Wieder ein rührender Empfang von jungen Buchhändlerinnen, später etwa vierhundert Zuhörer im Saal, langes Signieren, dann zurück zum Bahnhof. Mit den Reservierungen ist etwas schiefgegangen, wir müssen fast die gesamte Fahrt über im Zug stehen. Am Bahnhof in Paris verabschieden wir uns, ich nehme ein Taxi in die Rue de l'Université, gehe hoch in die Wohnung und schlafe sofort auf dem Sofa vor dem Kamin ein.

Als ich um acht Uhr abends wieder aufwache, habe ich Hunger. Die Lektorin hatte gesagt, zwei Ecken weiter gebe es ein Carrefour Express, einen kleinen Supermarkt, der bis neun Uhr geöffnet sei. Ich ziehe meinen Mantel an und nehme den Regenschirm, den mir die Buchhandlung in Straßburg geschenkt hat. Draußen stürmt es, der Regen ist eiskalt. Ich finde den Supermarkt, lege Käse, Oliven, Brot und Schokolade in den Korb und versuche, an einem Automaten mit der Kreditkarte zu bezahlen, was mir nicht gelingt. Ich drehe mich um, um einen Verkäufer zu suchen, und sehe, direkt hinter mir, Stephanie. Sie war Pianistin, spielte in den großen Konzerthäusern und galt als Ausnahmetalent. Und dann, nach einem Konzert in Paris vor zehn Jahren, hörte niemand mehr etwas von ihr. Sie verschwand einfach spurlos, keiner, den ich kannte, hatte noch Kontakt zu ihr. Es hieß, sie sei nach Brasilien gegangen und würde jetzt dort leben. Vor zwei Jahren traf ich ihren Bruder in München auf der Straße, er sagte, ihr gehe es gut, sie wolle nur alleine sein.

Wir umarmen uns. Sie zeigt mir, wie man den Automaten bedient, bezahlt ihre eigenen Einkäufe, und wir gehen zum Ausgang. Für eine Minute ist das Schweigen unangenehm, weil ich nicht weiß, ob sie überhaupt mit mir sprechen will. Ich halte ihr die Tür auf, draußen stürmt und regnet es noch immer. Sie fragt, ob wir noch etwas trinken gehen, das Flore sei nur eine Viertelstunde entfernt. Ich spanne den Schirm auf, sie hakt sich bei mir ein. Der Wind zerrt an dem Schirm, eine Speiche verbiegt sich, dann stülpt das ganze Gestänge sich um, der Stoff reißt ab. Wir lachen und rennen durch den Platzregen und den eisigen Wind und sind klatschnass, als wir im Café de Flore auf dem Boulevard Saint-Germain ankommen. Der Kellner weist uns einen Platz draußen unter der Markise und den Heizstrahlern zu. Wir trocknen uns mit Servietten ab, sie bestellt einen Tee, und ich nehme einen Kaffee. Wir sprechen über gemeinsame Freunde und Bekannte, und schließlich frage ich sie, warum sie damals so spurlos verschwunden ist. Sie rührt mit dem Löffel in ihrer Teetasse, spielt mit dem Zuckertütchen und sieht ernst und verloren aus. Sie antwortet nicht. Durch die großen Glasscheiben sind die einzigen Farben im Regen die Scheinwerfer der Autos und das Rot und das Gelb und das Grün der Ampeln auf der nassen Straße. Ich bereue, dass ich sie gefragt habe.

»Ich konnte nicht mehr«, sagt sie plötzlich. »Ich konnte so nicht weitermachen.«

Dann schweigt sie wieder, und ich weiß nicht, was ich sagen soll.

»Es war hier in Paris«, sagt sie nach einer langen Pause. »Beethovens 4. Klavierkonzert. Ich liebe es, immer spiele ich die Triolenkadenz im ersten Satz. Aber mitten in dem Konzert wurde mir klar, dass es so nicht weitergeht.«

»Was weitergeht?«, frage ich.

»Mein Leben. Es bestand nur noch aus Terminplänen, Reisen, Plattenaufnahmen, Konzerten und den Forderungen meiner Agentur. Aber das hat nichts mit Musik zu tun, weißt Du, nichts mehr mit dem, was ich wollte. Ich sollte Schuhe mit hohen Absätzen tragen und Kleider mit tiefen Ausschnitten und sollte verführerisch lächeln und Fotos mit einem Klavier an einem Strand mit untergehender Sonne machen. Wer stellt denn ein Klavier an den Strand? Das ist doch dummes Zeugs, so weit weg von Musik. Ich glaubte auch nicht, dass mein Publikum das wollte, aber ich konnte mich nicht durchsetzen. Niemand kann sich gegen diesen Markt durchsetzen, man kann sich ihm nur entziehen.«

Sie sagt tatsächlich »Zeugs« wie früher, und plötzlich ist sie mir wieder sehr nah.

»Wenn ich noch ein einziges weiteres Konzert gegeben hätte, hätte ich die Musik verraten. Das dachte ich damals jedenfalls.«

»Ja«, sage ich, »das verstehe ich sehr gut.«

»Es war kein Burnout, ich wollte nur nicht mehr. Es ist nicht so leicht zu erklären.«

»Versuch es bitte«, sage ich.

»Eigentlich geht es um Zeit. Ich hatte ja überhaupt keine Zeit mehr. Nicht für meine Freunde, nicht für mich, für nichts mehr. Nur wenn ich spielte, war es anders. Jede Komposition besteht zwar aus strengen Zeitangaben, aber wenn Du spielst, gibt es keine Zeit. Es gibt dann nur noch die Musik, die Zeit vergeht nicht linear, sie wird zu einem andauernden, zu einem immerwährenden Moment. Alles andere ist belanglos, es findet nichts sonst statt. Das ist der verweilende Augenblick, wenn Du so willst. Deshalb ist Musik für mich vollkommen. Und ich spürte in diesem Konzert, wie ich genau das gerade verlor. Ich dachte an andere Termine, an Unsinn, den ich noch zu erledigen hatte. Kannst Du verstehen, was ich meine?«

»Ja«, sage ich.

»Nach dem Konzert war ich eingeladen. Die Agentur meinte, es sei wichtig, ich müsse dorthin. Du kennst das.«

»Man ist angeblich der Ehrengast«, sage ich, »aber in Wirklichkeit ist man der Hofnarr.«

»Diese Leute waren Industrielle und Bankiers, so genau weiß ich es nicht«, sagt sie. »Jedenfalls finanzierten sie ein Musikfestival, auf dem ich auftreten sollte. Eigentlich sollte der Dirigent mitkommen, aber er war klüger als ich und sagte, er sei zu müde. Ich wurde von einem Fahrer abgeholt und in ein Stadtpalais im 3. Arrondissement gebracht. Die ganze Atmosphäre war beklemmend und steif, schwarzer Tisch, schwarze Tischdecke, schwarzes Geschirr, unglaublich viele Kristallgläser und Kerzen. Die Gäste sahen aus wie die alten Leute in einem Sorrentino-Film.«

»Ich kann es mir vorstellen.«

»Sie hatten einen schönen Steinway-Flügel aufgestellt – ›nur falls Sie möchten‹, sagte der Gastgeber. Ich habe natürlich nicht gespielt. Wie immer bei solchen Essen sprach keiner über das Konzert, noch nicht einmal über Musik. Das Ganze war unangenehm, diese Leute redeten nur über sich selbst, etwas anderes interessierte sie nicht. Ich kam mir so falsch vor und wollte nur weg und alleine sein. Du weißt, wie das ist. Du bist dann trotzdem die ganze Zeit höflich und charmant, aber Du spielst das alles nur. Ich habe fast nichts gegessen. Aber das Ende dieses ohnehin schon scheußlichen Abends war dann einfach nur widerwärtig. Ich werde das nie wieder vergessen.«

»Was ist passiert?«

»Jemand legte meine Aufnahme der *Impromptus* auf.«

»Ich habe sie auch«, sage ich. »Ich glaube, es ist Deine beste Aufnahme.«

»Heute würde ich sie vermutlich anders spielen. Nach diesem Essen kann ich sie vielleicht auch nie wieder spielen. Jedenfalls wurden zu meiner Aufnahme Ortolane serviert. Weißt Du, was das ist?«

»Ein kleiner Vogel, oder?«

»Ja, eine Ammer. Ihr Verzehr ist gesetzlich verboten, aber trotzdem wird sie heimlich zubereitet. Ich habe mich später erkundigt, sie sind unglaublich teuer. Diesen winzigen Vögeln werden die Augen ausgebrannt, damit sie das Zeitgefühl verlieren. Sie fressen dann ununterbrochen zwei Wochen lang, bis sie sehr fett sind. Danach werden sie in Armagnac ertränkt, damit sie den Alkohol verschlucken, der so auch in ihren Körper kommt. Dann werden sie in Armagnac gebraten und im Ganzen serviert.«

»Wie schrecklich.«

»Ja, aber was dann kam, war noch schlimmer. Die Gäste haben sich die großen schwarzen Servietten über den Kopf gelegt. Die Sache mit den Servietten hat Tradition, man will nicht, dass sich das Aroma verflüchtigt. Du kannst Dir nicht vorstellen, wie absurd das war. Ortolane werden im Ganzen gegessen, sie werden auf einmal in den Mund gestopft, mit allen Innereien, Knochen und so weiter. Die Leute am Tisch kauten lange darauf herum, sie schmatzten, und bei meinem Tischherrn tropfte etwas Gelbes in langen Fäden auf den Teller. Im Hintergrund meine Schubert-Aufnahme.«

»O Gott.«

»Ich bin aufgestanden und habe das Haus verlassen, ohne mich zu verabschieden. Sie saßen ja noch immer kauend unter ihren schwarzen Servietten. Auf der Straße habe ich die blöden hochhackigen Schuhe ausgezogen und bin in meinem Abendkleid losgerannt, bis ein Taxi mich mitnahm. Noch in der Nacht habe ich meinen Bruder angerufen und ihm gesagt, dass es mir gut ginge, ich jetzt aber alleine sein wolle. Der Agentur habe ich nur eine E-Mail geschrieben, dass ich nicht mehr zur Verfügung stünde. Und das ist auch jetzt noch so: Ich stehe nicht mehr zur Verfügung.«

Der Sturm hat aufgehört, es regnet jetzt sanfter.

»Findest Du das falsch?«, fragt sie.

»Ich wäre gerne wie Du«, sage ich.

»Ich hatte ein paar Jahre vor meinem Ausstieg hier eine Wohnung gekauft, ganz in der Nähe Deines Verlages. Es sind nur zwei Zimmer, aber sie sind gemütlich, und ich brauche kein Auto. Dort lebe ich jetzt.«

»Und womit beschäftigst Du Dich?«

»Mein Freund arbeitet an einem Buch über Barockmusik, ich helfe ihm. Und Du wirst lachen:

Ich spiele drei Mal in der Woche in der Bar des Hôtel de Crillon.«

»Du spielst Barmusik?«

»Meistens Erik Satie. Aber ja, auch Barmusik. Es macht mir Spaß.«

Sie lacht, ihr schönes Gesicht, die hohen Wangenknochen und dunklen Augen.

»Wurdest Du nie erkannt?«

»Ein Mal, aber ich habe gesagt, es müsse sich um eine Verwechslung handeln.«

Wir bleiben noch eine Stunde im Café de Flore, dann bringe ich sie nach Hause, wir umarmen uns vor der Tür, und ich gehe weiter zu meiner Wohnung. Musik, hatte Stephanie gesagt, sei die höchste Kunst. Schon ihr Ursprung war Schönheit und Gewalt zugleich. Die Najaden sind Nymphen, die über die Flüsse und Seen wachen, nackte, wunderschöne Frauen, die Griechen verehrten sie als Göttinnen. Syrinx ist eine von ihnen. Pan, der Waldgott, halb Mensch, halb Ziegenbock, sieht sie und will sie besitzen. Syrinx weigert sich und flieht, er jagt sie durch Urwälder und Wüsten. Endlich erreicht sie einen Fluss, sie bittet ihre Schwestern, die anderen Nymphen, um Hilfe. Die Schwestern verwandeln Syrinx in Schilfrohr. Pan erreicht den Fluss, er sieht Syrinx nicht, enttäuscht steht er am Ufer. Der Wind fängt sich im Schilfrohr, Pan hört »leises Geflüster, der lispelnden Klage nicht ungleich«. So schreibt es Ovid in den *Metamorphosen*. Pan begreift plötzlich, dass Syrinx das Schilfrohr ist. Er nimmt ein Messer, schneidet das Schilf ab, bindet die Rohre zusammen und ist »im Entzücken« von der »neuerfundenen Tonkunst«, der Panflöte.

Am nächsten Morgen hat der Regen aufgehört. In der Bibliothek steht ein kleines Frühstück auf dem Tisch, daneben liegt das Programm für den heutigen Tag. Ich setze mich im Pyjama auf das Sofa. Die Croissants sind noch warm, und der Kaffee ist sehr gut. Die Fenstertüren stehen offen, die Stimmen im Innenhof werden durch die Feuchtigkeit gedämpft, die Schritte auf den nassen Pflastersteinen, das Hupen der Autos von der Rue de l'Université. Der Wind geht durch die leichten Vorhänge, eine geisterhafte Bewegung vor dem fahlen Weiß des Morgens. Ich zünde eine Zigarette an und bleibe sitzen.

Vierundzwanzig

Neapel. Ich treffe Lorenzo im Caffè Gambrinus. Das Gambrinus war vor hundert Jahren ein elegantes Café, heute ist es ein Ort für Touristen. Wir umarmen uns, er ist dünn geworden, seine Wangen sind eingefallen. Lorenzo ist 94 Jahre alt, sein wunderbarer Anzug ist ihm viel zu groß geworden, der gelbe Strohhut mit dem hellblauen Band rutscht ihm dauernd in die Stirn. Er hat Parkinson, die Tasse kann er kaum halten. Er geht schon sein ganzes Leben jeden Nachmittag hier ins Café. Heute flirtet er wieder mit der jungen Kellnerin, die seine Tasse nur halbvoll schenkt, damit er sich den Kaffee nicht auf das Hemd schüttet.

Meine Tante, die seit vielen Jahren nicht mehr lebt, hat ihn liebevoll und spöttisch den »Freigeist« genannt. Als junger Mann hat er ein Vermögen geerbt und es nach und nach durchgebracht, ohne jemals zu arbeiten. Er sagt von sich selbst, er wisse, dass er ein bedeutender Schriftsteller sei, auch wenn er nie eine Zeile geschrieben habe. In seiner Jugend sei zu viel passiert, damals habe er keine Zeit gehabt, um zu schreiben. Und später sei ihm das Schreiben einfach zu anstrengend gewesen und vor allem überflüssig vorgekommen.

»Über jeden Roman, den ich dann doch nicht geschrieben habe, war ich froh. Ich habe lieber gelesen. Die Welt leidet ja auch keinen Mangel an Büchern«, sagt er.

Lorenzos Lebensthemen sind die Antike und die Kirche. Ich solle darüber nachdenken, was in Griechenland und später in Rom Freiheit und Vernunft bedeutet hätten. Demokrit, der Philosoph (»... als der Begriff ›Philosoph‹ noch etwas bedeutet hat ...«), und andere seien schon 500 Jahre vor Christus durch bloßes Nachdenken darauf gekommen, dass alles aus Atomen bestehen müsse, aus dem Letzten, dem Unteilbaren.

»Alles, mein Lieber«, sagt er, immer noch begeistert von dieser 2500 Jahre alten Idee, »alles besteht aus Atomen. Die Pflastersteine hier, der Tisch, das ganze Gambrinus, die Wolken und Sterne und selbst unsere schöne Kellnerin.«

Diese Erkenntnis habe die Menschheit befreit, denn wir hätten begriffen: Es gibt keinen Hades, wir enden nicht als ewige Schatten. Wir sterben, zerfallen, die Atome ordnen sich neu, nur das sei der ewige Kreislauf. Und ewig sei noch nicht einmal der, denn irgendwann ende die Zeit. Vor dem Tod müssten wir also keine Angst haben, es gebe keine Götter und keine Geister, weil die nicht aus Atomen bestehen könnten. Ohne diese Angst gehe uns der Tod nichts an, denn während wir leben, sei er nicht da, und wenn er da sei, würden wir nicht mehr sein.

»Lukrez hat über die Freiheit von Furcht das größte und wichtigste Gedicht der Menschheit geschrieben: *De rerum natura*, *Über die Natur der Dinge*. Wir waren also auf einem guten Weg. Und was passierte dann? Das Christentum wurde Staatsreligion in Rom, die Kirche ergriff die Macht und zerstörte die Freiheit. Der Beginn einer sehr dunklen Zeit, dem Menschen wurde das Denken ausgetrieben, und dafür bekam er Schuld, Sünde und Hölle. Einige haben sich dagegen aufgelehnt, sie endeten auf dem Scheiterhaufen. So gütig die Bergpredigt ist, so grauenhaft waren ihre Verwalter.«

Erst im 15. Jahrhundert habe ein Römer in einem deutschen Kloster ein Exemplar von Lukrez' Gedicht wiedergefunden, das einzige, das weltweit überdauert hatte. Die Kirche habe die Werke der Freiheit unterdrücken müssen, um den Menschen kleinzuhalten. Fast die gesamte griechische und römische Literatur sei verschwunden, wir würden nur fünf oder zehn Prozent noch kennen. Die Wiederentdeckung von Lukrez sei der erneute Aufbruch der Menschheit in die Freiheit gewesen. Die Aufklärung, das Zeitalter der Vernunft, die Befreiung des Menschen, das gehe – zumindest mittelbar – auf das Gedicht von Lukrez zurück. Thomas Jefferson, einer der Gründerväter der Vereinigten

Staaten, habe mehrere Ausgaben dieses Gedichts besessen, und nur deshalb stünde in der amerikanischen Verfassung der schöne und kluge Satz vom Recht des Menschen auf das Streben nach Glück.

»Stell Dir nur einmal vor«, sagt Lorenzo, »es hätte die christliche Kirche nicht gegeben, Rom wäre nicht untergegangen. Wir würden heute ganze Städte auf dem Mars bauen.«

Auswendig zitiert er lange Passagen aus Lukrez' Werk – nicht, weil er sie gelernt hätte (so etwas würde er niemals tun), sondern weil er den Text so oft gelesen hat.

Wir trinken unseren Kaffee und sehen den Autos zu, die um die kleine Verkehrsinsel mit dem Brunnen fahren, und den Touristen, die zu der Piazza del Plebiscito gehen.

Dann schweigt Lorenzo, und irgendwann sagt er, er habe schon viel zu lange gelebt, es sei auch mal gut damit, dieses Altwerden sei nichtswürdig und abstoßend, er könne nur davon abraten, das mitzumachen. Seine Existenz sei ein einziger Verfall. Aber es sei kein strahlender Untergang wie in einer griechischen Tragödie, sondern dieser Verfall erschöpfe sich in andauernder Trostlosigkeit, Demütigung, Dumpfheit und Stumpfsinnigkeit. Manchmal könne er seinen eigenen Gedanken kaum noch folgen. Er träume von einem Sekundentod hier im Gambrinus, er würde gerne »aus dem Spiel« genommen werden. Er würde auch selbst Schluss machen, nur habe er den Zeitpunkt versäumt, und ein Suizid käme ihm jetzt irgendwie lächerlich und hässlich vor.

»Wir wissen ja, dass jeder in sich selbst gefangen ist«, sagt er. »Aber erst, wenn Du so alt bist wie ich jetzt, wird Dir klar werden, was das wirklich bedeutet.«

Immerhin habe er letzten Monat ein Grab gekauft, die einzige Vorsorge, die er je getroffen habe, das sei doch auch schon etwas. Er wolle nicht in die feuchte Familiengruft unter der Kathedrale, auch wenn es natürlich keinen Unterschied mache, wo man als Toter liege. Er habe ein Grab auf Capri gekauft, auf dem Friedhof Acattolico, das sei der richtige Ort für ihn. Ich sei sein Freund und müsse deshalb zu seiner Beerdigung kommen, er wolle eine katholische Totenmesse mit allem Pomp und Brimborium.

»Hier im Duomo di San Gennaro«, sagt er. »Wie meine Vorfahren.«

Ich sehe ihn verwundert an.

»Ah, Du meinst, weil ich nicht gläubig bin? Kennst Du Niels Bohr?«, sagt er.

»Den Physiker?«

»Ja, Nobelpreis, ebenso bedeutend wie Einstein. Sein Thema: Struktur der Atome. Also im Grunde genommen ein Verwandter Demokrits. Bohr erzählte immer eine Geschichte. In der Nähe seines Ferienhauses wohnte ein Mann, der über der Eingangstür seines Hauses ein Hufeisen angebracht hatte. Bohr fragte den Mann: ›Glaubst Du wirklich, dass das Hufeisen Dir Glück bringt?‹ Der Mann antwortete: ›Natürlich nicht; aber man sagt doch, dass es auch dann hilft, wenn man nicht daran glaubt.‹«

Fünfundzwanzig

1963 verfilmte Luchino Visconti *Il Gattopardo, Der Leopard* von Giuseppe Tomasi di Lampedusa. Es ist die Geschichte der Auflösung des sizilianischen Adels, und Visconti wurde deshalb vorgeworfen, er vertrete damit eine reaktionäre Ideologie. Das ist natürlich Unsinn, in Wirklichkeit ist es eine Erzählung darüber, wie sinnlos und lächerlich jede menschliche Anstrengung und jeder Ehrgeiz sind.

Don Fabrizio, der Fürst von Salina, verliert nach und nach alles. Sein Neffe Tancredi sagt zu dem alten Fürsten: »Wenn wir wollen, dass alles so bleibt, wie es ist, muss alles sich ändern.« Dieser Satz wird heute von konservativen Politikern zitiert, in Italien gibt es dafür sogar einen Ausdruck: »gattopardismo«. Aber das, was Tancredi sagt, ist ein Widerspruch in sich, denn wenn sich alles geändert hat, ist ja nichts gleich geblieben. Don Fabrizio jedenfalls wird sich nie ändern, er kann es gar nicht, weil er selbst wie sein Land ist, wie Sizilien. »In Sizilien«, sagt er, »spielt es keine Rolle, ob man etwas gut oder schlecht macht: Was wir Sizilianer nie verzeihen, ist, dass überhaupt etwas gemacht wird.« Er weiß, dass sein Land nicht moderner werden kann, es wird wieder in seinen Halbschlaf zurücksinken. Don Fabrizio sieht dem Niedergang seines Standes und seines Vermögens zu, »ohne irgendeiner Tätigkeit nachzugehen oder auch nur die geringste Lust zu verspüren, etwas dagegen zu tun«. Eleganter kann man mit den absurden Forderungen des Lebens nicht umgehen. Don Fabrizio ist lieber morgens bei den Jagdhunden auf einem Hügel und befindet sich dort »urplötzlich in der unvordenklichen, zeitlos ewigen Stille des pastoralen Siziliens. Mit einem Schlag war man fern von allem, im Raum und mehr noch in der Zeit«. Und als er stirbt, sagt er: »Ich bin jetzt dreiundsiebzig Jahre alt, gelebt habe ich davon ... wirklich gelebt ... alles in allem ... zwei, höchstens drei Jahre ...«

Ich habe dieses Buch immer wieder gelesen. Aber erst heute, erst jetzt, begreife ich, wie recht der alte Fürst hat. Auch bei mir waren es nur zwei oder drei Jahre, in denen alles stimmte. Ich habe die meisten Dinge nie ganz verstanden, sie waren zu laut und zu schnell und zu anstrengend.

Als Giuseppe Tomasi diesen Roman schrieb, war er selbst Fürst von Lampedusa und Herzog von Palma. Einen Teil seines Hauses in Palermo hatte schon sein Vater an die örtlichen Gaswerke vermieten müssen, und sein ebenso verarmter Onkel konnte den Sommersitz Santa Margherita mit den 300 Zimmern nicht mehr halten. Giuseppe Tomasi hatte dort seine Kindheit verbracht, er war »immer lieber mit Dingen als mit Menschen zusammen«. Im *Leopard* heißt dieses Haus »Donnafugata«. Den Welterfolg seines Romans erlebte Tomasi di Lampedusa nicht mehr, er starb vor der Veröffentlichung, und sein Palast in Palermo ist heute ein Apartmenthaus mit Luxuswohnungen.

Für die Rolle des Don Fabrizio engagierte Goffredo Lombardo, der Produzent von Viscontis Film, überraschend den Schauspieler Burt Lancaster. Visconti selbst konnte sich Lancaster nicht als sizilianischen Fürsten vorstellen. Als er von Lombardos Plan hörte, soll er gesagt haben: »O nein, ein Cowboy.« Er wollte für die Rolle Laurence Olivier oder Spencer Tracy.

Visconti und Lancaster hätten auch nicht unterschiedlicher sein können: Visconti war ein Herzog von Modrone, früh verlobt mit einer Prinzessin zu Windisch-Graetz, er war zuerst heimlich, dann offen homosexuell, und er stand dem Kommunismus nahe; Burt Lancaster war der Sohn eines Postboten, er war als Schauspieler der Idealtypus des amerikanischen Helden, spielte Hauptrollen in Kriegsfilmen und Western und war drei Mal verheiratet. Aber während des Films wurden die beiden Männer Freunde. Visconti engagierte später noch einmal Lancaster als Hauptdarsteller. Und Lancaster sagte am Ende seines Lebens, Visconti sei der größte Regisseur gewesen, mit dem er gedreht habe.

Als Burt Lancaster in Palermo zum ersten Mal die Zimmer betrat, in denen er während der Dreharbeiten zu *Der Leopard* wohnen sollte, lagen dort unzählige silberne Handspiegel, Elfenbeinkämme, Dosen mit farbigen Cabochons und Zigarettenetuis aus Leder und Silber auf den Tischen. Er fragte Visconti, was das solle, ob die Gegenstände im Film vorkommen würden. Nein, antwortete Visconti, er habe das alles aus seinem Haus in Mailand mitgebracht, damit Lancaster verstehe, wie ein Fürst damals gelebt habe. Er solle sich mit den Dingen anfreunden, die längst vergangen seien.

Sechsundzwanzig

Mit dem Zug von Berlin nach Duisburg. Vor zwölf Jahren war ich dort im Lehmbruck-Museum in einer Giacometti-Ausstellung. Ich will seine *Frau auf dem Wagen* wiedersehen.

Noch einmal also Giacometti. Ich war dreizehn oder vierzehn Jahre alt, als ich seine Skulpturen zum ersten Mal gesehen habe, in Basel, glaube ich. Wenn man noch sehr jung ist, können Kunst, Musik, Theater und Literatur einen Menschen grundlegend verändern, sie brechen in das Leben ein, sie sind elementar. In der Literatur waren es bei mir Thomas Mann, Tomasi di Lampedusa, Evelyn Waugh und ein paar Jahre später, mit gleicher Wucht, Albert Camus und Marc Aurel. In der Kunst waren es nur zwei: Alberto Giacometti und Caspar David Friedrich.

Viereinhalb Stunden nach meiner Abfahrt aus Berlin stehe ich vor der Figur. Giacometti machte *Die Frau auf dem Wagen* irgendwann zwischen 1943 und 1945. Die Skulptur ist etwa 160 Zentimeter groß, eine schmale Frau aus weißem Gips, aufrecht stehend, die Schultern und der Kopf gerade, das Becken leicht verschoben, die Arme an den Körper gelegt, die Beine geschlossen. Sie steht auf einem Gipswürfel, der auf einem niedrigen Wagen liegt. Eigentlich besteht der Wagen nur aus zwei flachen Brettern, darunter sind vier kleine Holzräder montiert, er ist etwa zehn Zentimeter hoch. Kinder ziehen solche Wagen als Spielzeug hinter sich her. Giacometti sagte, das Vorbild sei ein Wägelchen im Krankenhaus gewesen, manche Kunsthistoriker glauben, er erinnere an ägyptische Götterwagen, aber vielleicht ging es auch nur darum, die Figur auf Augenhöhe sehen zu können. Sie steht jetzt in einer Glasvitrine, um sie herum Werke von Max Ernst. Die Museumsdirektorin sagt, die Figur müsse passiv klimatisiert werden, die Farbe würde sonst verblassen und der Gips leiden.

Die Frau ist so zart, dass sie nicht von alleine stehen kann. Man hat sie geröntgt, um zu wissen, ob man sie überhaupt transportieren kann: In ihren Kopf hat Giacometti einen Handbohrer und eine Feile gesteckt, damit der Hals nicht abknickt. Es war seine erste große Figur, vermutlich lagen diese Dinge gerade im Atelier herum, später wurde er professioneller mit dem Aufbau. Ihren Körper modellierte er um Eisendrähte herum, nur die dünnen Arme sind ohne Stütze, sie würden bei jeder Bewegung brechen.

Ich verstehe jetzt, warum ich hierhergefahren

bin. *Sie* ist die Frau auf dem Wagen, zärtlich, traurig, einsam und stolz. Sie schwebt, wie sie damals im Plaza in New York schwebte, das Bernsteinlicht in den hochgesteckten Haaren, ihre Verletzlichkeit, die Balance, die sie halten muss, ihre Würde. Ihr schmaler, nackter, weißer Körper aus Gips, die kleinen Brüste, die Schlüsselbeine, das alles verschwimmt, so wie meine Erinnerung nach und nach verschwimmt. Nur ihr Blick bleibt klar, er ist streng und sanft und ewig. In einem Brief schrieb Giacometti an seine frühere Geliebte: »Die Figur, das sind Sie, wie ich Sie für einen Moment gesehen habe, vor sehr langer Zeit, bewegungslos, auf dem Boulevard Saint-Michel, eines Abends.« Ich weiß nicht, ob das stimmt oder ob Giacometti nur freundlich zu ihr sein wollte, aber das ist auch nicht mehr wichtig. Jetzt gehört mir diese Figur, sie ist die Frau, wie ich sie für einen Moment gesehen habe, vor sehr langer Zeit, bewegungslos, im Plaza in New York, eines Nachmittags.

Die Einsamkeit der Frau auf dem Wagen ist nicht pathetisch, das Leid keine Attitüde. Natürlich, unser Leben ist absurd, weil der Tod es beendet. Wir müssen scheitern, es geht nicht anders. Aber es gibt noch die andere Wahrheit, die Wahrheit der Frau auf dem Wagen: Jetzt, dieser Moment, dieser Nachmittag, der nächste Morgen, der Blütenschimmer im Frühling, der Wind, der durch die Felder geht, die lautlose Schwüle im Hochsommer und das nasse Laub auf den Straßen im Herbst – das alles bedeutet nichts ohne den anderen Menschen. Wir stehen nackt in dieser Welt, die Erde ist ein kaum sichtbarer blassblauer Punkt im All, die Natur ist kalt und feindlich. Aber wir sind Menschen, wir teilen diese Einsamkeit, sie ist es, die uns verbindet. »Wir wissen voneinander«, hat sie gesagt.

Ich gehe nach draußen, es ist warm, ein erster Frühlingstag. Hinter dem Museum ein Park mit Skulpturen, die ich nicht verstehe. Auch am Anfang schien nichts einfach gewesen zu sein. Aber heute, im warmen Licht dieses Nachmittags, kommt es mir vor, als sei das Leben damals noch voller Möglichkeiten gewesen. Ihre letzte Nachricht auf meinem Telefon. Giacomettis Männer gehen, zeigen oder stürzen. Seine Frauen bewegen sich nicht, weil sie längst wissen. »In der Leere tastend«, schreibt er, »versuche ich den unsichtbaren weißen Faden des Wunderbaren zu erwischen.«

Unter einer Ulme setze ich mich im Park auf eine Steinmauer. Und überall ist Leben, überall.

Sollte diese Publikation Links und Webseiten Dritter enthalten, so übernehmen wir für deren Inhalte keine Haftung, da wir uns diese nicht zu eigen machen, sondern lediglich auf deren Stand zum Zeitpunkt der Erstveröffentlichung verweisen.

Quellennachweise:
Kapitel 1: F. Scott Fitzgerald, *Der große Gatsby*. Aus dem Amerikanischen von Bettina Abarbanell. Copyright der deutschsprachigen Übersetzung © 2006, 2007 Diogenes Verlag AG, Zürich
Kapitel 22: Knut Hamsun, *Hunger*. In der Übersetzung von Siegfried Weibel © 2017 Ullstein Buchverlage GmbH, Berlin.
Kapitel 25: Giuseppe Tomasi di Lampedusa, *Der Leopard*. Copyright © Giangiacomo Feltrinelli Editore, Milano, 1969, 2002. All rights reserved. First published by Giangiacomo Feltrinelli Editore in 1968, used by permission of The Wylie Agency (UK) Limited. Deutsch von Burkhart Kroeber. © der dt. Übersetzung 2019 Piper Verlag, München
Der Abdruck der Zitate erfolgt mit freundlicher Genehmigung der jeweiligen Verlage.

Penguin Random House Verlagsgruppe FSC® N001967

4. Auflage
Originalveröffentlichung August 2022
Luchterhand Literaturverlag, München,
in der Penguin Random House Verlagsgruppe GmbH,
Neumarkter Str. 28, 81673 München
Copyright © 2022 Ferdinand von Schirach
Umschlaggestaltung buxdesign | Ruth Botzenhardt
unter der Verwendung eines Motivs von © plainpicture/AWL/Peter Adams
Autorenfoto: © Michael Mann
Satz: Uhl + Massopust, Aalen
Druck und Einband: GGP Media GmbH, Pößneck
Alle Rechte vorbehalten.
Printed in Germany
ISBN 978-3-630-87723-5

www.schirach.de
www.luchterhand-literaturverlag.de
www.facebook.com/luchterhandverlag
www.twitter.com/luchterhandlit